Un amour
de Dracula

GRAIN D'ORAGE

DU MÊME AUTEUR

La Dislocation, roman, Stock, 1974.

Paysages d'agonie, roman, Stock, 1976.

Descendance, roman, Stock, 1982.

La Part du silence, essai,
   Bernard Barrault-Flammarion, 1984.

Un amour de Dracula,
   Bernard Barrault-Flammarion, 1987,
   Zulma, 1998.

Malfrats, pour que je plonge..., récit,
   Bernard Barrault-Flammarion, 1987,
   Zulma, 1998 (à paraître).

La Ballade de Fletcher Christian, récit,
   Bernard Barrault-Flammarion, 1987,
   Zulma, 1998 (à paraître).

Les Oiseaux et les Sources, récit,
   Bernard Barrault-Flammarion, 1990.

Rousseau ou l'état sauvage, essai, PUF, 1997.

Sermons aux pourceaux, Zulma, 1997.

ARMAND FARRACHI

Un amour
de Dracula

ZULMA

*Grain de beauté, de folie
Ou de pluie…
Grain d'orage – ou de serein –*
TRISTAN CORBIÈRE

Publié avec le concours
du Centre Régional des Lettres Midi-Pyrénées.

I

Tout de cuivre et de verre qu'il semble pourtant bâti, après l'orage, au dernier feu du crépuscule, sinistre est le château de Bistritz, sombres ses couloirs, profonds ses caveaux, là-bas, dans les Carpates tout étouffées sous le grondement des torrents descendus des sommets et le mugissement du vent qui parcourt les forêts à grands coups de hache, et lourd, bien lourd le sommeil du comte Dracula, car, au plus obscur de ses cryptes, au plus souterrain de ses tombeaux, jour après jour, siècle après siècle, depuis tant de siècles, mains croisées sur le nombril, dans son frac noir et dans son cercueil capitonné de soie blanche quoique jaunie par le temps à défaut de soleil, le comte s'endort chaque matin d'un sommeil sans rêve plus épais que la mort, et chaque soir, le rayon soudain disparu qui éteint parmi le lierre la dernière vitre du château rallume son regard en clouant sur sa face plâtreuse les deux diamants de ses prunelles et sur ses poignets réunis les deux rubis de ses manchettes ainsi boutonnées d'incarnat, terrible éclat des pierres, auprès duquel pâlissent les émeraudes qui ornent encore pour l'une sa chevalière, pour l'autre sa ceinture, et chaque soir, donc, des profondeurs moussues où s'enterrent les voûtes, et d'un pas encore pesant, le comte Dracula remonte, marche à marche, époque après époque, la spirale d'un escalier dont Piranèse même n'avait osé aggraver ses cauchemars, et, paraissant enfin dans la salle dont chandelles et bûches n'éclairent qu'en tremblant les parois armoriées et les blasons ternis, il découvre le coin d'un des miroirs voilés qui ne lui renvoient jamais pour reflet de lui-même que l'éternelle jeunesse du vide. À cette rassurante absence d'image et de limites, un sourire qu'il ne voit même pas révèle sous sa lèvre les canines supérieures.

Qui peut jurer qu'il ne rirait si la mémoire ou l'imagination lui présentait un semblable néant ? Or, il ne rit guère.

Indifférent au bruit que peut faire son nom dans le monde, qu'il méprise, de l'apparence et du tapage, il laisse l'ombre le ramener chaque soir à l'intermittence de son éternité lorsque, les membres encore tout engourdis de mort, il consent à quitter son cercueil pour la salle du château où son valet Cukol, ayant rallumé les flammes de l'âtre et des candélabres, tire les rideaux pour ouvrir les volets au règne de la nuit dont les noctules annoncent en secret le retour et que saluent à longs cris depuis le profond du bois les loups aux pas feutrés et les effraies cendrées élancées tout à l'heure des niches de la muraille. Peut-être un voyageur égaré en quête d'hospitalité fournira-t-il au comte la pinte de sang chaud nécessaire à sa force, ou bien quelque savant échouera-t-il, à bout d'investigations, tout bardé d'ail inutile et de vains crucifix, dans cette chambre d'hôte où deux trous dans la gorge apaiseront sa rage de savoir et à la porte duquel il n'aura laissé, triste Empédocle, que ses pantoufles.

Mais aussi, mourir, veiller, durer, aimer parfois, haïr toujours, craindre rarement, et puis toujours tuer et mourir, est-ce une vie, cela ?

Long tourment que celui de l'homme à qui la mort même a refusé sa grâce, condamné à ne hanter jamais que les zones les plus secrètes et les plus effroyables d'être aussi les plus vraies, à ne s'abreuver qu'aux seules sources du vif. Trois fois heureux plutôt les mortels débarqués sur la vie comme pour une excursion, visiteurs à qui le temps est compté, faciles à contenter par la surface des choses : la peau, les paysages, les idées, prompts à s'émerveiller comme à verser des larmes, quand le comte Dracula, sans crainte de châtiment ni espoir de récompense, indifférent à la peine de mort ou à celle de vivre, au temps comme à l'espace, ne peut aller qu'à l'essentiel. Voici pourquoi, au lieu même où s'achève pour tous le chagrin du monde relatif, commence pour le vampire le cruel paradoxe de l'absolu. Bah ! dira-t-on, tourment de philosophe c'est luxe de nanti. Point. C'est dans sa chair, dans l'exercice quotidien de sa crypto-existence qu'il est marqué au fer double du mort-vivant, ermite par essence et mondain par nécessité, misanthrope par nature et don Juan par goût. Ainsi donc la haine de l'humain, qui l'isola au plus loin du jour et de l'émotion, et ne lui fit jamais croiser un spécimen de l'inévitable engeance sans désir de mordre, le pousse tout à la fois à fuir et à rechercher la race qu'il exècre et dont il aspire pourtant le suc, à se languir de l'immonde compagnie ; ainsi sa solitude ne s'entretient qu'à force de rencontres et sa haine ne s'exprime que par le baiser ; ainsi le baiser qui appelle au-dehors les semences vitales chez lui n'infuse que la mort ; ainsi la haine portée à son incandescence en lui se fait amour, et cet amour ne se réalise que par le meurtre. De même que la détestation du chiendent ou des mouches s'acharne surtout à détruire la graine de l'un et les œufs des autres, nul pollen ne devrait lui répugner davantage que la fine fleur et la promesse de l'espèce abhorrée ; or la fluidité du sang, la délicatesse de la peau, la limpidité du regard et l'innocence du sommeil ont fait que rien ne lui est plus précieux que la jeune fille aux mœurs pures, fondante dragée dans tant de consistance, et soif inapaisable, car, si tout sang le préserve de vieillir, seul le rajeunit celui des vierges, et comme le moineau n'est que la plus petite partie de la volée, chaque jeune fille n'est qu'une facette de l'absolue jeune fille qui le hante, somme idéale de toutes, de sorte que sa fidélité passe par le nombre. Superficiels humains qui vous exaltez d'épidermes, que direz-vous du vampire solitaire qui ne peut embrasser qu'aux profondeurs de l'être et qui ne peut aimer qu'au-delà de la mort ?

Voici pourquoi, ce soir encore, le comte Dracula, plein d'ennui et de mélancolie, depuis la nuit des temps et celle du tombeau, remonte sans hâte, et le mollet encore rigide, jusqu'à la salle du château où le valet s'affaire.

« Déjà levé, monseigneur ?

– Tu le vois bien, lourdaud. Ne t'ai-je pas déjà défendu de m'appeler monseigneur ? Cela me donne l'air d'un évêque. Pourquoi cette surprise ? N'est-ce pas l'heure ? Tu étais encore fourré dans la bibliothèque, à te farcir la tête de livres ?

— Ni fourré ni farci. J'y mettais de l'ordre, et lisant justement dans Hippocrate que bégaiements et bavardages étaient causés par troubles d'entrailles, je me demandais où tant de livres nouveaux trouvaient leur matière.

— Tu feras bien de te poser la question à toi-même, sans m'en faire bâiller. Ouvre, et va-t'en voir à la croisée. La nuit est-elle tout à fait tombée ?

— On ne peut plus tout à fait.

— Pas de lune ?

— Pas la moindre.

— Rien à l'horizon ?

— Un voyageur.

— Bon. Homme ou femme ?

— On dirait un homme, j'en ai peur. Il vient vers le château. Prenez patience : il frappera tout à l'heure.

— Tu le laisseras frapper. Il en sera quitte pour quelques pas de plus et pour trouver refuge au terrain de camping. Le sang mâle m'est chaque nuit plus indigeste, le sang femelle plus insipide, et celui d'un agneau m'épargnera ce soir la peine d'en chercher un plus frais mais moins pur. Ah !

Cukol, quel ennui ! La nuit même ne fait plus que s'étirer dans cette ombre uniforme que vient à peine compromettre de temps à autre quelque visiteuse au sang fade et toute nourrie sans doute de chou et de sociologie. Rappelle-toi la dernière, celle qui venait recueillir des légendes paysannes menacées par l'oubli et qui n'a pu s'endormir avant de m'en avoir asséné un exposé détaillé. Je n'ai trouvé la force de la saigner qu'un peu avant le jour, et par nécessité hygiénique, je t'assure, bien plus que par désir. J'en ai le cœur encore soulevé.

— Vous faites bien le dégoûté ! Je ne dis pas qu'elle n'ait pas eu un peu de gras en trop par-ci par-là, mais malgré cela j'en sais bien qui n'auraient pas pris tant de mines pour aller lui reluquer de près la devantière !

— Parle correctement, animal, ou crains de commencer la soirée par un soufflet.

— Un soufflet ! Sauf votre respect, parlez correctement vous-même. Nous sommes au XXe siècle. Le temps passe...

— Je le sais bien, qu'il passe, mais il passe tant qu'il en vient à stagner, fixe de toutes ses vagues, et fixe mon état, fixe la haine qu'on me voue pour avoir choisi la voie ténébreuse. Passe encore d'être traqué, mais par qui ? Des médecins, des ethnologues, des professeurs et des héros, sans parler des curés ! Sont-ce là des ennemis dignes de moi ? Et puis-je me flatter de peupler le monde des ténèbres avec des créatures qui souillent même le jour ? Non, cette dernière visiteuse achève de me rendre fastidieuse la non-vie des vampires, j'en ai perdu le goût ; à mordre sans passion j'ai l'impression de saigner, comme un boucher.

– Monseigneur ! je vous sens tout cafardeux ce soir ! Pas tant à cause de l'ethnologue, mais l'air du temps ne vous vaut rien. Plus d'avenir pour nous par ici, croyez-m'en.

– Écoute-moi bien, sacripant, si tu m'appelles encore une fois monseigneur, je te promets de t'abandonner tout bordé de dentelles aux marches d'une église et aux mains d'un sacristain qui saura faire de toi le plus obséquieux bedeau de toute la chrétienté.

– Comme vous voudrez, monsieur le comte.

– Va, monsieur suffira. Nous sommes au XXᵉ siècle, tu l'as dit toi-même.

– Monsieur tout court, à présent ? Quand vous vous êtes entiché de cette jeune Girondine, à Paris, vous me disiez qu'il fallait vous appeler citoyen. Il y a trente ans, encore, et ici même, quand vous tourniez autour de la fille du président du comité central, je devais vous donner du camarade. Monsieur, à présent ?

— Ah ! Tu me rappelles Paris, Cukol. Quel bonheur ! Quelle orgie, si tu savais, grâce à tous ces clubs jacobins ! Quel bain de sang ! Quelle manne ! Et les crucifix de bois qui flambaient pour fondre en balles les crucifix de plomb, les bénitiers pour urinoirs, les mitres et les calottes sur la tête des ânes, ces cous laiteux soigneusement découverts, par pleines charrettes entre la Conciergerie et la place de Grève. Chienne de guillotine, quelle concurrence elle m'a faite ! Elle m'a même soufflé ma Girondine. Mon baiser lui aurait laissé sur la gorge une moins vilaine trace. Ah ! elle avait le plus petit pied que j'aie jamais vu.

— C'est l'air d'ici qui vous fait une mine de déterré ! Allons à Paris, et je vous réponds que vous y serez encore heureux. La guillotine a disparu mais la libération des mœurs y accomplit des merveilles : elle a rendu les pensionnats religieux plus rares que les cheveux sur la tête d'un chauve, exterminé comme poux la race des chaperons, pulvérisé les barreaux aux fenêtres des lycées plus sûrement qu'aux vieilles bastilles et, mieux que les bourreaux, décolleté les gorges. Imaginez-vous cela, monsieur, toutes ces vierges bouclées, libres de folâtrer jusqu'à la nuit noire ? Quel sang neuf pour un amateur comme vous, quel rouge bain de jouvence ! Voilà le remède et la cure qu'il vous faut, et puisque vous avez des délicatesses sur les globules, c'est bien l'ordonnance que je vous appliquerais si j'étais faculté ! Vous savez bien que le sang des vierges vous rajeunit, qu'il n'y en a plus une seule ici et qu'on n'a encore rien fait de plus joli qu'une Parisienne !

– Je ne sais quel sort m'a affligé pour valet du plus incontinent bavard qui se puisse rencontrer sur cette partie du monde, mais sais-tu bien que tu me tentes, misérable ?

– Si je le sais, sacredieu ! Laissez-moi donc me débrouiller de cela !

– Pense à ce que tu dis. Comment sortir d'ici ?

– Ma foi, comme d'habitude : en cercueil plombé. Et, quant à moi, j'irai procéder à l'inhumation avec un visa de tourisme.

– Et pour le retour, imbécile ? Me faudra-t-il mourir encore et changer de cimetières autant que de chemises ?

– Vous aurez eu *post mortem* la nostalgie de la terre natale. Le cimetière était mal exposé, ou les allées mal entretenues, ou la place trop chère, ou le permis d'inhumer trop difficile à obtenir. Trois semaines, monsieur, trois semaines de vacances pour vous refaire une santé et je vous réponds qu'après de telles bacchanales vous serez bien aise de revenir couler ici des nuits paisibles et morbides. Que dites-vous de cela ?

— J'en dis que tu m'as convaincu, animal, et que la gencive me démange comme aux meilleurs temps. T'occuperas-tu de cela, Cukol ?

— Dès demain. Reposez-vous sur moi et soyez tranquille que d'ici quelques jours d'autres fumets chatouilleront vos narines que celui du gigot qui dégorge et que je retourne surveiller.

— C'est bon, tu l'emportes. Fais nos bagages, je m'en remets à toi, et va-t'en faire saigner ce gigot le plus que tu pourras : l'appétit me revient. Mais prends garde que si j'y retrouve encore, comme la semaine dernière, la moindre vapeur d'ail, tu seras battu comme plâtre. »

Ainsi, au fond des Carpates, le comte Dracula et son valet Cukol s'accordèrent-ils un congé de trois semaines entre deux pans d'éternité.

II

Dirai-je le long calvaire de leur voyage, les stations prolongées à chaque poste frontière, la main du douanier, l'aiguille qui sonde jusqu'au capitonnage du cercueil tandis que le comte Dracula patiente à demi-nu dans la neige carbonique en attendant qu'on ait fini d'interroger son frac ? Non.

Dirai-je plutôt l'arrivée dans la ville lumière du fourgon retardé par les encombrements jusqu'à la nuit tombante et le vampire, du fond de son cercueil, s'impatientant encore dans quelque chose de carbonique mais sous la forme gazeuse que lui renvoient cette fois des véhicules plus impatients encore et dont l'exaspération fait résonner aux oreilles du mort-vivant, pour tout hurlement de loups, celui des avertisseurs enragés par l'immobilité ? Ou encore l'ascension du cercueil enveloppé de couvertures pour être plus aisément présenté aux déménageurs comme un fragile pétrin rapporté de chez un antiquaire et à manipuler avec le plus grand soin jusqu'au troisième étage de l'immeuble où maître et serviteur ont trouvé à louer pour la durée de leur séjour, et pour un loyer mensuel qui eût suffi à la faire paver d'or pur, une coquette garçonnière avec poutres violemment apparentes et coin cuisine pour dînettes d'amoureux en format réduit ? Pas davantage.

Que dirai-je alors ? L'ouverture du cercueil, la face exceptionnellement cramoisie du comte et l'explosion d'une colère trop longtemps contenue dans un récipient impropre à en recevoir l'expression.

« Nous y voici donc, animal ! Viens-t'en recevoir d'abord ce que je te dois, que je me dégourdisse sur toi de l'ankylose que tu m'as fait subir !

— Est-ce la façon de me remercier pour tout le soin que j'ai pris de vous durant le voyage ?

— Tu cherches à m'irriter, sagouin ! Dois-je te remercier pour ces fouilles dont tu m'as laissé humilier jusque dans mes chaussures, pour l'exercice que tu as veillé à me donner au cours d'un si long enfermement, pour la compagnie des viandes mortes dont je fus gratifié toute une nuit dans un wagon frigorifique ou pour les coups que j'ai reçus tout à l'heure sur la tête malgré le capitonnage ?

– Croyez-vous qu'il soit si facile de faire passer les frontières et monter les escaliers à une marchandise telle que vous ? Vous n'imaginez pas quels trésors d'ingéniosité il faut chaque fois déployer pour justifier ne serait-ce que le transport. Tiens, rien que votre frac noir et votre cape, quel effet croyez-vous qu'ils fassent à chaque exhumation ? Il m'a fallu improviser que vous étiez un illusionniste désireux d'être enterré dans son costume de scène !

– Je ne sais comment je me retiens de t'envoyer promener, toi et ton ingéniosité, et de prendre un autre valet ou de n'en prendre point du tout.

– Premièrement parce que vous ne pouvez pas du tout vous passer de valet, vous le savez.

– Et la cause, je te prie ?

– C'est que vous avez lu dans Hegel que du maître et de l'esclave le véritable esclave est le maître.

– Ah ! c'est vrai ! Et vrai aussi que je doublerai tes gages le jour où tu perdras l'habitude de me jeter tes livres à la figure.

– Deuxièmement parce que, valet pour valet, vous n'en trouverez aucun qui puisse aussi bien que moi vous servir, ainsi que je vais vous en administrer encore une fois l'exemple et la preuve.

– J'en suis impatient, en effet.

– Vous rappelez-vous ce jeune homme de Paris que vous aviez si fort impressionné l'an dernier, lors de son passage au château, celui qui fricotait dans le cinéma ?

– Je vois qui tu veux dire. Eh bien ?

– Eh bien, quand il est reparti le lendemain, à une heure où vous dormiez, si l'on peut dire, il était si content de votre accueil qu'il m'a laissé son adresse pour vous rendre la pareille si nous passions à Paris ! J'ai loué ceci parce que vous avez des habitudes qu'il serait difficile de faire admettre à des hôtes, mais je vous annonce que vous avez accepté son invitation à dîner.

– Faut-il que je te remercie parce qu'il va essayer de me gaver avec des chairs mortes et des végétaux bouillis que je devrai refuser comme un malappris ?

– J'ai prévenu que vous n'arriveriez qu'après le festin de matière inerte, et vous y trouverez, monsieur, festin de forces vives. Car il recevra en votre honneur quantité de gens tout ce qu'il y a de mieux, des écrivains, des comédiens, et des femmes, de jeunes et belles. Vous serez là-dedans comme devant une vitrine et comme un coq en pâte. Il n'y aura qu'à choisir.

– Merci donc, ingénieux Cukol, de me fournir pour toute substance nouvelle des comédiennes payées pour mourir et pour ressusciter à chaque baisser de rideau et des écrivaillons qui s'échinent à saisir le suc d'autrui ou à se glisser dans les peaux en balbutiant : moi, moi, c'est toujours moi, l'ai-je bien pénétré ?

— Prenez seulement le soin de vous faire inviter partout avant de commencer à mordiller, vous trouverez ce que vous voulez et je vous garantis que vous garderez le souvenir d'avoir traversé Paris comme un véritable Niagara de sang frais.

— Tu as une façon de présenter les choses à quoi je ne m'habitue pas. Mais puisque, valet pour valet, il n'y en a pas qui me convienne mieux que toi, à ce qu'il paraît, c'est que je dois dater un peu. À quand les réjouissances que tu m'ordonnes ?

— Demain.

— Profitons alors de cette nuit pour revoir Paris, qui a bien dû changer. »

Si Paris avait changé ! Ce n'étaient partout qu'échafaudages fixés en certitudes ou concrétions de béton restées dressées, faute de mieux, à la verticale. Nos deux promeneurs sans ombre y retrouvaient bien ici ou là, et non sans émotion, quelque place familière, perspective monumentale, ruelle aux pavés disjoints ou horizon de toits pentus désaccordant leurs cheminées, mais l'ensemble témoignait plutôt du combat de dieux et de titans qui, après avoir piétiné leur jardin d'enfants changé en champ de bataille, y auraient abandonné leurs cubes parmi les pâtés de sable. Les immeubles semblaient avoir monté en graine au hasard de vents insalubres, sursauts pétrifiés d'un cauchemar d'insomniaque, accès de gigantisme dont un bâtisseur halluciné s'excusait par un carré d'herbe décolorée de honte. Ainsi cette ville qu'on avait mise debout ne s'avancerait qu'en boitant, un pied dans le chausson d'une arrière-cour, l'autre sur l'échasse d'une tour lancée vers les cieux. Le maître et le valet s'avançaient dans tout ceci d'un pas traînant, les mains derrière le dos et le nez au vent chimique. Pour un vampire à qui répugnent le verre et ses reflets, on imagine quel Golgotha devenait une simple promenade au long des avenues flanquées de vitres fumées et de métaux polis, galerie des glaces d'un dieu jaloux qui, pour punir la ville de sa coquetterie, l'avait bombardée de ses crottins géométriques et mégalomaniaques. Dracula y cherchait-il ce qu'il aimait chez toute maîtresse, à savoir les artères ? Il n'y trouvait qu'un flux de véhicules vainqueurs sous les roues desquels la servilité avait développé des rubans de bitume jusque sur les trottoirs. La Seine, même la Seine aux longues berges rêveuses, avait dû leur céder une place

Éditions ZULMA

32380 Cadeilhan

Si vous désirez être tenu régulièrement au courant de nos publications, nous vous demandons de bien vouloir remplir ce questionnaire et de nous le retourner.

NOM . . . .

Prénom . . . .

Adresse . . . .

. . . .

. . . .

Profession . . . . Age . . . .

Titre de l'ouvrage dans lequel était insérée cette carte :

. . . .

Nom et adresse du libraire où vous l'avez acheté . . . .

. . . .

. . . .

Avez-vous une suggestion à nous faire ? . . . .

. . . .

. . . .

. . . .

A . . . . , le . . . .

dans son lit et s'écoulait, opaque, dessous ses ponts stigmatisés. Dans Paris solitaire et glacé, deux formes ont tout à l'heure passé : Dracula et Cukol déambulant jusqu'à ce banc épargné des parkings et qui recueillit aussi leurs propos.

« Que dis-tu de cela, Cukol ?

— Parlez plus fort, monsieur, on ne s'entend pas !

— Je dis : que dis-tu de cela, Cukol ? !

— Comment voulez-vous que je vous comprenne si vous continuez à vous boucher le nez ?

— Dois-je choisir de me taire ou de suffoquer ? Que dis-tu de cela, Cukol !

— Que voulez-vous que j'en dise ?

— Conçois-tu la folie qu'ils ont de ces automobiles ? Et comme ils se montent sur la tête pour se faire la courte échelle jusqu'à des altitudes où l'on ne peut se pencher à la fenêtre sans lutter contre le vertige ? As-tu vu, place de la Concorde, qu'ils ont même démonté la guillotine qui eût permis de féliciter de si talentueux architectes ?

— Tout se perd, monsieur, tout se perd... Mais vous qui n'arrivez jamais dans une ville qu'elle ne subisse aussitôt quelque épidémie ou fléau, voyez comme on a bien fait le travail pour vous : en guise de peste, ce cancer minéral et bubonique, ces panneaux publicitaires abattus sur

chaque pouce carré comme autant de saute-
relles, le fleuve rougi, on ne sait par quoi, les
ténèbres suspendues...

— Il suffit. Ta psalmodie pourrait traîner.
Jusqu'où iront-ils, selon toi ? Tes livres ne disent
rien là-dessus ?

— Impromptu, comme cela, je pourrais bien
vous réciter quelque chose de Thucydide sur
Sparte ou de Juvénal sur Rome, mais sur ce
Paris-là, je crois qu'ils en sont jusqu'à présent
restés comme deux ronds de flan.

— Veille donc à me composer toi-même un
morceau sur ce sujet, et pour une fois je t'auto-
rise à y mettre des gros mots si tu ne peux pas
faire autrement.

— Bien, monsieur.

— Après s'être ainsi élevés par-dessus, enfon-
cés par en bas et étendus sur les côtés, où crois-tu
que je les retrouverais si je revenais dans un
siècle ou deux ?

— Dans un siècle ou deux, monsieur, nul ne
peut jurer qu'il en restera un seul pour mettre
une pierre sur l'autre. Sait-on seulement s'il
restera des pierres ?

— Qui vivra verra, Cukol. Rappelle-moi comment tu nommes ces appareils que les gens ont
l'air de chatouiller avant de parler tout seuls, des
téléfériques ?

« – Des téléphones, monsieur.

– Oui, téléphones. Et ces boutons, manettes, clignotants et cadrans que l'on voit partout ?

– Cela s'appelle la technique.

– Bon. Il faudra que je tâche d'en avoir l'usage. Hélas ! les époques les plus prolixes en inventions sont souvent les plus indigentes en imagination. Six siècles de progrès m'ont enseigné cela.

– Nous délecterons-nous encore un peu de ces vapeurs ou passons-nous à autre chose ?

– Non, tout ce bruit m'a fatigué et j'ai hâte de regagner notre bonbonnière. »

Et ils voguèrent vers leurs noirs pénates.

Mélodieux chant du coq qui renvoyait jadis les vampires au tombeau, que n'as-tu résisté aux outils électriques ou radiophoniques ? Grâce à Dieu, les vampires ont le sommeil lourd. Et le réveil subit. L'hospitalière cloison résonnait encore du dernier journal télévisé quand Dracula repoussa son linceul. Il était temps de répondre à son invitation. Hep, taxi !

Lorsque, au premier coup de minuit, le comte parut dans le salon où il était attendu avec une courtoise impatience, la componction de ses manières, la solennité que sa haute taille ajoutait à ses propos déjà articulés avec une lenteur quasi caverneuse, la pâleur du teint que soulignait la noirceur du vêtement firent impression. Une douzaine d'individus recrutés dans des milieux suffisamment compromis par diverses industries cinématographiques ou éditoriales pour prétendre eux-mêmes à la qualité d'artistes y consumaient leur sort. Le comte éprouva aussitôt une sensation d'accablement à se trouver enfermé avec des gens où son œil encore modérément phosphorique cherchait en vain la fraîche marchandise qu'il avait espérée : de droite à gauche et de haut en bas, on s'acheminait vers une maturité satisfaite, toute de chairs relâchées et de réplétion contenue à grand renfort de vêtements sur mesure et de cosmétiques de premier secours, et quoique les femmes, déjà avancées, fussent encore séduisantes, seule une jeune personne qui fréquentait ici dans l'espérance d'une carrière eût arrêté son regard si l'œil exceptionnellement bêta qu'elle promenait partout en souriant et une ambition que trahissait assez la façon dont les hommes la guignaient et les femmes la toisaient ne l'en eussent détourné après un furtif examen.

Alors que, politesse ou ennui, il avait d'abord été discrètement mêlé à une conversation dont les sujets déjà exsangues s'épuisaient encore, il s'en trouva vite occuper le centre lorsque son jeune invité de Bistritz eut loué l'accueil qu'on lui avait fait là-bas, le cachet d'un château qui méritait le détour et l'atmosphère des Carpates. On le pressa de questions sur sa patrie et de plaisanteries sur les vampires, celui-là n'attendant plus qu'un creux dans la conversation pour s'esquiver d'un endroit qui commençait à lui donner des fourmis dans les jambes, d'autant que, à mesure que les propos se resserraient sur les légendaires sangsues de Transylvanie, questions éludées avec un humour tendu, on semblait s'intéresser davantage à ses manières comateuses, à ses allures morbides, à lorgner de plus près l'épidermique pâleur ou l'osseuse physionomie. Le pire se produisit.

Depuis quelque temps déjà intrigué par la façon dont il avait précautionneusement contourné les miroirs, parfois au prix d'un notable détour, le jeune voyageur, désireux d'en avoir le cœur net, lui brandit soudain à la face un miroir qui resta impuissant à accomplir son narcissique office.

« C'est Dracula ! » exulta-t-il en montrant sa psyché portative, laquelle ne montrait rien.

L'interpellé fut d'abord saisi de terreur à l'idée des pieux, gousses et articles de piété qui ne manquaient jamais de jaillir au cri de son nom, puis surpris de constater que, loin de s'enfuir en stridulant, tous se pressaient autour de lui pour le considérer avec plus d'attention, trouvant que c'était intéressant, qu'on se disait aussi, qu'on aimerait le toucher, intérêt dont il ne se sentit flatté que pendant les deux ou trois secondes qui suivirent sa surprise et précédèrent son agacement.

On lui demandait s'il rêvait pendant le jour, si son cercueil était suffisamment capitonné pour lui épargner les courbatures, s'il avait connu Robespierre, s'il trouvait aux sangs une grande variété de saveurs, si l'odeur de l'échalote lui répugnait autant que celle de l'ail, et à tout cela, faisant contre mauvaise fortune bon cœur, il répondait, espérant en finir au plus vite avec cette nuit inexorablement promise à son insupportable jour.

Quel effet faisait la morsure de vampire ? Celle d'un chien ? d'une chauve-souris ? d'un critique ?

« Est-ce plutôt comme une morsure de vipère ? proposa le psychanalyste pour suggérer que qui vie perd a mort sûre.

— Je ne sais, monsieur, n'ayant jamais eu à éprouver moi-même une telle concurrence, répondait le comte, dévoré du désir que le questionneur en fît l'expérience libératrice.

— Êtes-vous plutôt de droite ou plutôt de gauche ?

– Plutôt d'en bas. Quelle heure est-il ?

– Pensez-vous que de telles dents feraient de moi un vampire convenable ? demanda sa voisine de droite en un souriant effort gingivo-labial pour révéler le parfait alignement des vingt-huit dents régulièrement détartrées qu'elle proposait à l'admiration de l'assistance.

– Ne dit-on pas qu'il n'y a que les mauvais ouvriers pour avoir de mauvais outils ? », répondit le comte, impatient surtout de lui voir refermer la bouche, ce qu'elle fit, hélas ! avec une moue qui lui étira les lèvres en fente de machine à sous.

Il en eût profité pour s'excuser si, par malheur, l'exhibition n'avait excité la jalousie d'une Américaine qui le talonnait à senestre.

« Et que pônsez-vô de ce cô ? » dit-elle en rejetant la tête de façon à révéler un cou et un visage si anormalement lisses pour leur âge avancé qu'ils attestaient assez quels soins en avaient pris d'esthètes chirurgiens. S'il était vrai que, la matière faciale venant enfin à manquer, on lui avait pris aux fesses la peau qu'elle exhibait aux joues pour offrir aux baisers ce qui n'est dû qu'aux sièges, le comte éluda, ce qui ne froissa guère l'indéridable demanderesse dont un large sourire fit saillir les omoplates.

« Baron, demanda encore un dialoguiste à qui

l'on faisait appel pour les passages à approfondir, une question m'interpelle quelque part. Préférez-vous le sang mâle ou femelle, autrement dit, êtes-vous à voile et/ou à vapeur ?

– Les moyens de locomotion auxquels vous faites allusion m'étant également étrangers puisque, épargné par la dimension ordinaire du temps, je le suis également par celle de l'espace, je ne saurais répondre à votre question sans en élargir le sens et la portée. »

Étendant les bras pour ouvrir sa cape, il s'inclina vers les dames en disant :

« Je suis oiseau, voyez mes ailes. »

Puis, recroquevillant ses doigts aux ongles démesurés : « Je suis souris. Vivent les rats ! » et il s'inclina vers les messieurs, en faisant un pas vers la porte.

« Prouvez-le ! » cria quelqu'un.

Tous applaudirent.

« Oui, prouvez-le. Qui nous dit que vous êtes le vrai Dracula, et non un imposteur insinué parmi nous pour décrocher le rôle ? Votre comparse peut avoir truqué le miroir. »

Il se dressa :

« Apprenez que la morsure d'un vampire est un geste sacré qui s'accommode mal de l'air vicié des salons, que la succion du sang est un produit du silence et de la nuit, de la frayeur et de l'extase, et non pas du bavardage sous les lustres. Je suis un habitant des cryptes, et non pas des tréteaux, et je ne m'abaisserai pas à mordre ici l'un d'entre vous comme un animal lubrique qui s'accouple dans la rue.

— Calmez-vous, murmura l'apprentie figurante en lui passant la main sur l'épaule, on ne vous demande pas de mordre, mais rien qu'une petite preuve, pour nous faire plaisir, allez...

— Bon, finissons-en, dit le comte dont un sourire méchant faillit découvrir les canines, éteignez les lumières. »

Comme on lui obéissait, il ouvrit la fenêtre et un vent froid, presque fétide, pénétra dans la pièce en soulevant les rideaux et en faisant tinter les verres. On se regarda. Rejetant la tête en arrière comme s'il buvait à la nuit claire, il dit :

« M'entends-tu, compagnon ? »

Alors, dans le ciel jusqu'à présent dégagé, vinrent rouler et s'amasser des nuages de poix ou d'étoupe accourus de nulle part et, du Sacré-Cœur à la tour Montparnasse, de la tour Eiffel au belvédère des Buttes-Chaumont, une pluie d'éclairs illumina Paris de soufre tandis que toutes les vitres éblouies tremblaient au grondement d'un tonnerre sans limites. L'assemblée d'abord saisie d'un mouvement d'inquiétude en soupira d'admiration. Il dit :

« Exprimez-vous, mes frères ! » et, du zoo de Vincennes au jardin d'acclimatation en passant par la ménagerie du jardin des Plantes, un long hurlement s'éleva dans Paris depuis la gueule des loups captifs réveillés en sursaut, rappelant sur toutes les nuques un frisson dont il s'était perdu jusqu'à la mémoire.

« Oh ! » firent les invités.

Il dit : « Rassemblez-vous, mes sœurs ! » et de tous les greniers, égouts ou caves où elles se terraient, les chauves-souris, comme attirées et réunies par un invisible aimant, s'en vinrent voleter par nuées devant la fenêtre et se former en grappes tourbillonnantes, sifflantes du battement des ailes, et ce ne fut qu'un « Ah ! », dans la pièce où les convives refluaient pourtant vers la porte. Il dit : « Réveillez-vous, mes amis ! » et du Père-Lachaise à Montparnasse, de Montmartre à Bagneux, tous les cimetières parisiens commencèrent de résonner au sourd martèlement dont des milliers de poings décharnés ébranlaient les couvercles des cercueils avec une rage croissante et communicative qui fit même gronder la terre.

« Étonnant ! jugea l'hôte.

– Assez ! » gémit l'hôtesse.

Le comte Dracula referma la fenêtre et la nuit s'éclaircit de nouveau en même temps que, tous hurlements, battements et martèlements s'apaisant avant de s'éteindre tout à fait, Paris retombait dans la vrombissante rumeur qui lui tient lieu de silence.

Il se retourna alors vers les convives déjà rassemblés par un commencement de panique et, élevant haut ses deux mains comme pour contenir ou élancer une force, il poussa un rugissement qui les fit reculer d'un pas.

« Ah ! Qu'ils me haïssent pourvu qu'ils me craignent ! »

Il se disposait à reprendre la porte lorsqu'il fut soudain immobilisé par une voix dont les inflexions semblaient soupirées par une clarinette de verre.

« Maman, disait-elle, j'ai peur de l'orage. »

Il découvrit alors, à mi-chemin de l'escalier qui descendait du premier étage, une jeune fille, pieds nus, dont les boucles brunes s'épanchaient sur la chemise de nuit, belle d'une beauté sans défaut, avec des joues comme des pétales de rose tombés dans du lait et deux vastes yeux dont la frayeur n'avait pu troubler la transparence. Intriguée sans doute par le costume du comte, elle s'arrêta sur une marche pour le fixer un instant, orienta vers lui l'ovale de son visage et, tandis que son trouble s'évanouissant élargissait encore ses yeux et colorait sa joue d'un plus subtil incarnat, ô nuit plus haute, ô monde plus ardent, elle lui sourit. Lui, comme soulevé un instant au-dessus de lui-même et le cœur lui battant comme au temps très ancien où il était vivant, se sentit percé d'une extase presque douloureuse, et lui sourit aussi. Mais la maîtresse de maison intervenait déjà.

« Lucie, ma chérie, remonte vite dans ta chambre ! » Puis, voyant qu'ils se souriaient : « Et quant à vous, sortez, espèce de monstre !

— Je sors, madame, en vous remerciant pour cette excellente soirée. Mais ne doutez pas que je revienne ! »

Il alla à grands pas dans les rues où, les tourments de l'amour s'ajoutant à ceux de l'urbanisme, il s'égara. Un banc public s'offrait à recevoir un instant son exaltation. Ah ! Paris ! Paris éventré et vitriolé qui continue de receler comme une châsse les plus précieux trésors de la création, et toujours renaissant de ses cendres pour séduire à nouveau au-delà des siècles, Paris, roi des vampires et capitale de l'univers !

Un chien intrigué par son flair s'en vint le renifler et recevoir, pour prix de la rêverie qu'il interrompait, le salaire d'un coup de pied. Le jour pouvait ne plus tarder. Le comte héla un taxi qui maraudait dans les parages et, après s'être fait expliquer par le chauffeur, un, l'incompétence du gouvernement et les moyens d'y remédier ; deux, la sournoiserie des Chinois du quartier et la nécessité de les mettre au pas ; trois, le déroulement de la dernière compétition au ballon rond et les raisons qui feraient remporter la prochaine course à Va-Devant, il se fit raccompagner jusqu'à sa garçonnière où Cukol commençait à s'inquiéter.

« Vous voilà ? Êtes-vous content de votre nuit ? Comment vous a-t-elle semblé ?

– Presque exécrable. Des vierges, tu m'en promets ! Mais au moment de servir, que trouve-t-on ? Des corps ramollis par des cortèges de maternités, des seins comme des pis, des culs comme la moitié du monde, des tendons qui saillent sous les cous plissés comme des baleines d'accordéon, et un sang qui, non content d'avoir été gâté par les montées de lait successives, a eu le temps d'être rafraîchi par on ne sait combien de transfusions, celui-là même dont tu me vantais la pureté. Est-ce pour m'empoisonner ? Et tout cela teint et poudré jusqu'à la pomme d'Adam, à tel point que lorsqu'elles sont en décolleté on jurerait qu'on vient de leur planter une tête neuve sur un corps d'occasion. Je suis bien tranquille que pour ta part tu auras su te réserver de plus fermes morceaux.

– C'est que j'avais pris la précaution de préparer le voyage et de contacter la section parisienne du syndicat des personnels de maison.

– Ne me dis pas que tu t'es syndiqué, débauché !

– Vous le dis-je ? À peine me suis-je présenté comme le valet du comte Dracula...

– Tu as fait cela, vaurien ?

– ... que la secrétaire est accourue, avec le nez, le menton, les yeux et les jupes retroussés, ce qui m'a facilité les choses. Ça fait plaisir d'être attendu.

– Et tu as sans doute honoré la réputation de la maison en t'empressant de la tripoter sous une porte cochère, comme la brute que tu ne peux t'empêcher de rester malgré ta tête farcie de livres !

– Nenni. Nous fûmes écouter des madrigaux à l'église des Billettes.

– Ces madrigaux, sans doute, dont tu reviens le visage encore tout congestionné de plaisir.

– C'est que nous avons été prendre un verre après le concert.

– Prends garde que si tu continues de me mentir...

– Donc vous disiez que c'était une soirée presque exécrable ?

– Oui, figure-toi qu'un miroir inopportun

m'a fait reconnaître et qu'à partir de ce moment on s'est pressé autour de moi pour me questionner, me caresser, presque m'embrasser. Comment comprends-tu que mon apparition, généralement saluée par une glapissante panique, puisse maintenant se faire au milieu des sourires et des attendrissements, comme celle d'un chaton sur une soucoupe de lait, et susciter de la passion, je dirais même de l'intérêt, voire de l'attention ?

– Que diriez-vous de la curiosité ?

– Tu crois donc que les gens d'aujourd'hui sont gorgés d'horreur au point qu'ils n'aient plus que de la curiosité pour un monstre aux yeux striés de sang ?

– Je crois plutôt que votre réputation vous déroule un tapis sous les semelles. Il y a des assassins à qui l'on demande des autographes.

– Tu veux dire que la célébrité qu'on m'a faite pourrait me nuire de m'avoir trop servi ? Je crains cela, en effet, que l'inclination qu'on pourrait avoir pour mes mérites privés fût forcée par celle qu'on montrerait pour mes vertus publiques.

– C'est modeste de votre part. Surtout que, n'étant pas même accoutumé à reconnaître votre image dans un simple miroir, il y aurait de quoi se monter le col à la retrouver soudain agrandie dans les prunelles du monde. Pensez qu'il suffit d'un instant pour qu'on ait l'air d'un autre en voulant rester le même.

– J'y pensais justement. Ne me dis pas que tu n'as pas la référence de quelque volume pour une si pénétrante maxime ?

– Et même de deux.

– À la bonne heure ! Ne me la donne pas.

– Le Don Quichotte du second volume n'est plus celui du premier justement parce qu'il l'est devenu.

– Passerai-je pour un crétin si je suggère que ta réponse m'est obscure ?

– Le chevalier à la triste figure est partout accueilli dans le second volume comme le personnage qu'il était dans le premier, comme l'incarnation de l'idée qu'on avait de lui, et non comme ce demi-fou qu'on voyait rôder dans la campagne où il n'avait nulle part sa place. D'intrus il devient invité.

– Je t'entends. Mais enfin, si l'on signale partout avec des panneaux terrifiants la présence du moindre caniche au seuil des pavillons, ne peut-on au moins s'inquiéter du vampire qui marche derrière vous ?

– Vous savez ce que l'on dit : que les vampires tirent surtout leur pouvoir du fait qu'on ne croit pas en eux, et l'on voit pourtant qu'ils sont d'autant plus détestés qu'ils sont craints. Il suffit donc qu'on y croie pour qu'ils perdent leur puissance et que, perdant avec elle leur pouvoir d'effrayer, ils soient moins détestés, c'est-à-dire aimés davantage.

– S'il y avait quelqu'un dont je souhaitais être aimé tu me conseillerais donc de lui être odieux ?

– Certes, mais gardez-vous de ceci qu'un vampire qu'on ne craint plus cesse d'être lui-même et que si l'on vous aime, fatalement pour ce que vous n'êtes plus, il sera difficile de refaire qu'on vous déteste pour ce qu'on ne croit plus que vous êtes. Il est vrai que, si la même loi marche à reculons, votre pouvoir ainsi ruiné, on cessera d'y croire et qu'il vous en sera ainsi rendu.

– Ce que j'aime surtout en toi, Cukol, c'est la façon très simple dont tu fais comprendre les choses les plus emmêlées. Toujours est-il que l'hôtesse qui soupirait d'aise quand je faisais hurler les loups et trépigner les morts m'a traité de monstre quand sa fille m'a souri.

– Je me disais aussi que si vous trouviez tout à l'heure la soirée presque exécrable, c'est qu'un petit quelque chose l'aura sauvée de l'être tout à fait.

– Un petit quelque chose, comme tu dis, me l'a rendue *in extremis* infiniment précieuse, une fleur poussée sur le fumier, une perle dans une soupière d'huîtres. Comme j'allais prendre congé, la fille de l'hôtesse a donc paru à l'étage, effrayée par le bruit que j'avais provoqué, et m'a souri. Une merveille, Cukol, un chef-d'œuvre dont je suis encore tout retourné. Si tu avais vu cela : un cou de neige, qu'on devine fondant comme une pâte d'amande, parfumé que c'en est à pleurer, le réseau des veines palpitant sous la peau transparente comme une aile de papillon, et un sang, assurément, fluide, frémissant... Voilà bien cent ans qu'on ne m'avait servi un tel nectar dans un tel flacon.

— Débouchâtes-vous ?

— Non, je n'ai eu que le temps de l'apercevoir, et les circonstances se prêtaient mal à la dégustation, d'autant que la personne est à un âge où l'on ne peut brusquer les choses.

— Quel âge a la donzelle ?

— Elle est jeune.

— Mais encore ?

— Que t'importe ? Je te dis qu'elle est jeune.

— Je veux bien qu'elle le soit, en effet, si j'en juge au mystère que vous faites. Eh bien, vingt ans ?

— Tu m'embêtes.

— Quoi ? Dix-huit ?

— Je ne sais pas. Mettons-lui seize ans.

— Seize ans ?

— Tout au plus.

– Voilà du nouveau.

– Qu'as-tu à faire cet œil de poule qui a trouvé un couteau ? Ne suis-je pas venu chercher un sang virginal ? Au train où vont les mœurs, il faut plutôt s'étonner qu'elle ait tenu jusqu'à cet âge avancé. Au-delà de quarante ans, le sang de vierge perd ses vertus.

– Il n'empêche. Seize ans, tout au plus, font une différence de quelque six cents ans, tout au moins.

– Et puis ? N'est-ce pas un service à rendre que de préserver cette perfection de la décomposition et de la livrer intacte à l'éternité plutôt qu'aux pattes pleines de cambouis d'un jeune motocycliste ?

– Vous voilà philanthrope ? Un service à rendre à qui ? À elle ? À notre chère humanité ?

– Un service à rendre à la beauté, si vulnérable aux vers, aux microbes et aux imbéciles.

– Je sens que j'argumente en vain et que je parlerais aussi bien aux murs si vous vous êtes mis cette petite dans la tête. Vous aurez toujours de bonnes raisons d'être fou et vous vous ferez défendre par toute la théologie le jour où vous vous serez entiché d'une génisse. Et que comptez-vous faire ?

– Ce que je compte faire ? Y retourner dès demain et boire à longs traits la source de jouvence.

Encore que, je le dis franchement, il y ait en elle quelque chose qui m'émeut, et davantage à mesure que j'y pense...

– Pardi !

– ... et quand je l'ai vue, ce n'est pas la soif que j'ai d'abord sentie, non, mais quelque chose de plus lointain, de plus doux, de plus...

– Écoutez, monsieur, faites-moi plaisir, épargnons-nous les ennuis qui commencent. Mordez là-dedans au plus tôt et partons ailleurs découvrir autre chose. Que diriez-vous de l'Amérique ? C'est un grand pays, jeune, sans expérience, sans culture...

– Tais-toi donc. Notre séjour commence à peine. J'irai demain, et j'en suis impatient.

– J'ai fait ce que j'ai pu. Mais qu'avez-vous ? Votre teint blêmit encore, vos joues se creusent davantage et votre regard ternit. Est-ce l'impatience qui vous tord ainsi ?

– Non, c'est le jour. Il est tard, et les fenêtres n'ont pas de volets. Il est temps de regagner mon cercueil et d'y trouver une paix réparatrice. »

Défiguré par la douleur que lui causait le premier rayon, le comte Dracula se traîna jusqu'à sa lugubre couche et, ce matin-là, il mourut sur le côté, les deux mains sous la joue, comme un petit enfant.

III

Quoique obscure déjà la nuit aveuglée par l'absence de lune et lointain le jour qui chassera des rêves vénéneux les monstres qu'elle libère, ce soir, dans sa chambre d'enfant, Lucie ne peut dormir, anxieuse de l'oppression sans cause qui lui étreint la poitrine comme du mystère qui l'en délivrera, presque fiévreuse de cette attente que rien ne justifie et qui lui creuse à l'estomac le vide délicieux qu'elle n'avait connu que sur les balançoires, inquiète, plus que d'une attente, d'une imminence, presque d'une proximité. Elle se retourne entre ses draps déjà froissés d'une absurde impatience et que le sommeil a désertés, elle guette, elle écoute, elle soupire, et quoique rien ne vienne, qu'aucun pas ne résonne, quelque chose, elle le sent, se prépare ou s'avance, quelque chose ou quelqu'un. Elle se relève, va jusqu'à la fenêtre où stagne une nuit noire et ne devine nulle part le doigt qui semble l'avoir désignée.

Qu'est-ce ? A-t-on marché ? Non, le vent grince sans doute aux charnières des volets. Elle se recouche. Aussi, cet homme en noir, hier soir, l'a troublée sans qu'elle sache pourquoi, et bien que le souvenir en ait semblé perdu tout le jour il lui revient maintenant avec une puissance qui la fascine et l'effraie à la fois, tandis qu'elle s'irrite de veiller et craint de s'endormir. Une force, assurément, bat en elle, qui l'agite et la retourne, comme une bête qui flaire, tourne, piétine avant de trouver sa place. « Ah ! quoi que ce soit, que cela s'accomplisse. » Lucie enfouit sa tête sous l'oreiller, comme du temps où elle était petite et s'encourageait ainsi au sommeil. Frappe-t-on à la fenêtre ? Une branche, probablement. Mais, quoi, si longue ?… Et ce souffle, le rideau ?… Non, on respire dans sa chambre. Elle rejette l'oreiller, ouvre les yeux. L'homme est devant son lit, tout droit dans son frac noir.

« Qui êtes-vous ? Comment êtes-vous entré ?

– Ne crie pas. Hier j'étais en bas avec tes parents, et c'est pour toi que je monte ce soir. »

D'un geste, elle serre son col. Frayeur réjouissante, dans sa modération. Il lui confie quel pouvoir ont sur lui ce nom, cette beauté, ce qui ne la surprend pas, cette candeur, ce qui la fait sourire, mais non par ironie, il s'en assure en comprenant qu'elle tient pour rien les vaines érubescences des garçons de sa classe. Il la contemple, et ce minois l'étourdit. Elle le fixe, et cette tête l'impressionne. Elle examine son noir vêtement, ce qu'on fait rarement lorsqu'il paraît quelque part.

« Pour ça, dit-elle, vous ressemblez vraiment à Dracula. »

Connaît-elle Dracula ? Certes, pour l'avoir vu au cinéma, et jamais sans frissonner. Pas de dégoût dans son regard, quoiqu'une crispation lui ferme encore les doigts. À l'idée que cette jeune fille puisse lui trouver du charme, peut-être de la beauté, un peu de sang colore ses joues crayeuses. Après tout, ne serait-il légitime qu'on l'aime enfin pour lui, sans s'arrêter à sa réputation ? Il fallait une innocente pour lui rendre justice. Comment lui plaire encore ?

« Est-il bien vrai que vous soyez Dracula ? »

S'il ne faut que le prouver, le comte Dracula sourit, d'un sourire inhumain qui lui fend le visage jusqu'au travers des joues et qui plisse ses yeux jusqu'à les faire disparaître dans une face à présent minuscule et sans front où ne se tendent plus que des oreilles duveteuses. Comme il étend ses bras achevés en doigts palmés aux ongles démesurés, sa cape s'ouvre, s'étire en membrane et, se dépliant à mesure que le corps accroupi se ramasse, elle se déploie enfin en ailes pour élever dans la pièce une chauve-souris hagarde qui volette en se heurtant aux murs avant de se suspendre, tête en bas, au lustre du plafond. Lucie, qui n'a pu se défendre de proté-ger sa gorge, fixe le noir animal pendu au-dessus d'elle. Dans son regard où la surprise le dispute à l'horreur semble pourtant s'allumer la trans-figuration des saintes en extase.

Déjà la chauve-souris reprend son vol, fond au pied du lit où, par une métamorphose inverse à celle qui l'élança, est revenu s'asseoir le vampire en frac noir, dont l'œil interroge la jeune fille. Elle, la prunelle encore éblouie et les mains craintivement resserrées sur la gorge, cherche des phrases qui ne se forment pas, un souffle que la stupeur disperse. Quand sa poitrine s'apaise, un seul mot lui revient, qu'elle murmure d'une voix détimbrée : « Encore. »

Il reste une seconde immobile, puis voici que sa nuque s'enfonce entre deux épaules plus sail-lantes, que les oreilles pointent, que nez, bouche et menton s'allongent en mufle où viennent s'ai-guiser deux plus longues canines, et que, tandis qu'il resserre sous lui ses membres déformés, la soie de sa cape s'effrange en pelage gris sous quoi son échine s'étire et se prolonge en queue. Les ongles durcis en griffes et la mâchoire en gueule, un loup aux yeux brûlants saute de sur le lit et s'en vient tourner en grondant et en montrant les crocs autour de la jeune fille qu'une frayeur exquise dresse sur son séant. Le fauve la fixe et la flaire, sa patte s'agrippe au drap, cherche la jambe et, comme le museau se dresse, l'enfant ne peut retenir un cri, on ne sait si c'est d'effroi ou de plaisir, un mouvement de recul quand l'animal dont la face s'aplatit et dont les oreilles retombent bondit sur les couvertures, qui ne reçoivent pourtant que le derrière osseux du comte Dracula.

« Eh bien, dit-il, quelles preuves faut-il encore ?

– Il n'en faut plus. Il est donc vrai que vous m'avez choisie, moi, entre toutes ?

– Oui, toi, c'est vrai. Je ne suis venu des Carpates que pour toi. Vite...

– Vous me trouvez belle aussi ? » demande-t-elle en arrangeant ses cheveux.

Aussi ? Aussi belle que lui ou aussi belle que les autres le disent ? Ah ! si belle en tout cas qu'au moment de le lui confirmer, il en bégaie, ce qui la fait rire.

Elle regarde autour d'elle : la fenêtre est trop haute, la porte trop lointaine, trop proche le vampire, trop proche et trop pressant.

« Si vous me mordiez, je deviendrais immortelle, je resterais jeune, je pourrais faire peur aux gens, me transformer en loup, en chauve-souris, en hirondelle ?

— Je ne sais pour l'hirondelle, mais pour le reste, oui, je t'apprendrai. Allons...

— C'est mon destin ?

— Voilà le mot. Eh bien ?... »

Est-ce le mot, en effet, qui la fait hésiter entre la terreur et le ravissement, en proie à un vertige qu'elle sent croître et l'étourdir, sans lui donner encore la force de franchir l'irrémédiable pas ? Que cherche-t-elle encore ? Quelle issue, quel geste, quel mot qui lui ferait gagner du temps ? L'imprudente, qui croit s'offrir impunément le spectacle d'un vampire ! L'exquise, la touchante imprudente ! Comme elle se trouble et s'effraie, Dracula guette l'instant délicieusement fatal où le désarroi relâchera l'étreinte déjà si peu protectrice des mains sur le cou pour lui permettre de planter enfin ses crocs dans l'incomparable gorge. Déjà les paupières s'abaissent sur les yeux de la jeune fille et la lèvre se relève sur les canines du vampire. Mais voici que les cils frémissent, que les narines palpitent et que, renversant soudain la tête en ouvrant le col de sa chemise, la rougissante Lucie découvre sa gorge en cachant son visage parmi ses boucles.

« Quoi ? Que fais-tu ?

— Voici ma gorge, mordez. »

Merveilleuse Lucie, ô vierge souveraine. Il s'approche, se penche sur elle, sur cette peau diaphane à la troublante odeur de chair et de fruit où luit à peine une chaînette d'or, sur cette veine transparente qu'il voit battre derrière l'oreille, sur ce sein que soulève sous la chemise le souffle plus pressé qu'elle retient maintenant. Il lui saisit les épaules et rejette la tête, savourant déjà l'imminence de son plaisir. Mais elle ouvre les yeux.

« Est-ce que ça fait mal ?

— Non, non, ça ne fait pas mal, à peine une petite morsure, tu verras. Allez…

— Bon », dit-elle, et, serrant plus fort les doigts sur le col qui découvre une gorge tendue vers lui, elle referme aussi plus fort les paupières, comme un enfant malade prêt à recevoir la piqûre qu'il redoute mais qui lui rendra la force.

Il n'entend plus qu'un cœur précipité. Il se penche de nouveau, étourdi même de ce parfum de coton frais, les draps, la chemise de nuit, et les cheveux parmi tout cela. D'ivresse, il ferme aussi les yeux. Mais elle rouvre les siens.

« Aristote m'a mordue déjà.

— Quoi encore ? Aristote ?

— C'est mon chat. Une fois qu'il avait fallu le tirer de sous le lit où il avait cru trouver refuge pour échapper au vétérinaire. Il m'a griffée, et puis mordue. Ça ne m'a pas fait très mal, non, mais un petit peu quand même. »

Elle le regarde de ses prunelles élargies, le cou toujours offert à la morsure.

« Ferme les yeux. »

Elle obéit, il la regarde et s'émeut davantage de sa beauté, frémit du bref gémissement qui lui échappe quand elle soupire en détournant la tête par un mouvement qui fait rouler la peau et onduler la chaînette sur les veines et les os. Il pose en tremblant la main sur l'ombre qui se creuse entre les clavicules. Il se trouble, il hésite, il attend. Que se passe-t-il ?

« Ça y est ?

– Non, non, ça n'y est pas. »

Le sang bat sous ses doigts, le cœur contre son bras. Magique instant. Qu'est-ce là qui fond et qui s'écoule ?

« Vite, dit-elle, et d'autant plus impatiente, semble-t-il, qu'elle le sent tarder.

– Ah ! Une seconde ! On y va ! Rien ne presse ! »

Mais rien ne se passe non plus.

« Eh bien ? »

Il se redresse en grognant.

« Je ne peux pas !

– Quoi ?

– Je dis que je ne peux pas ! »

« – C'est donc que vous ne m'aimez pas, que je ne suis pas assez belle pour vous, n'est-ce pas ? Vous trouvez que je ne suis qu'une enfant et vous vous êtes moqué de moi.

– Que dis-tu ! »

Il se cogne la tête contre les murs en agitant les bras, bien qu'il n'ait pas repris apparence de chauve-souris.

« Allons, ne boude pas. Regarde-moi. Ai-je l'air de me moquer ? Comment te mordre ? Ah ! je ne sais ce qui se passe. Je sens mes lèvres se fermer pour le baiser et non s'ouvrir à la morsure. C'est donc que je t'aime, misérable que je suis ! »

À ce mot plus sonore, qu'est-ce donc qui s'ouvrira ? Les bras de l'une ou de l'autre ? Les bouches ou les cœurs ?

La porte, hélas ! Et pour livrer passage à un jeune homme d'héroïque allure. Description inutile.

« Que faites-vous là, monsieur ? »

C'est ce qu'il demande au vampire, qui s'en raidit.

« Il semble que ce serait à moi de vous poser la question, jeune homme, et que l'intrusion quelque peu cavalière que vous venez de faire dans la chambre d'une jeune fille sans vous être annoncé mériterait un soufflet plutôt qu'une réponse.

— Je suis le frère de Lucie, et c'est moi qui vous trouve dans une chambre où vous n'avez que faire, dont vos mœurs plus encore que votre âge ou que l'usage auraient dû vous interdire l'accès et dont je vous somme de sortir. Je sais qui vous êtes et je ne vous crains pas. Voyez d'abord briller sur ma gorge ce bijou d'or qui la met hors de votre atteinte, signe sacré du rédempteur qui souffrit pour nos péchés (et devant la laideur du bijou et de l'idéologie qu'il exprimait ainsi, le comte eut en effet un geste de répulsion). Sachez enfin que si je vous retrouve jamais dans la chambre de ma sœur, fleur innocente et chaste, fierté de ses parents, consolation de ses professeurs, je saurai débarrasser l'humanité du chancre dont vous l'affligez, et non par des prières, mais avec un épieu. Je pense que vous me comprenez.

— Je comprends, monsieur, que, digne représentant de la sous-espèce à laquelle vous êtes fier d'appartenir, je veux dire à la familiale plus gravement encore qu'à l'humaine, vous entendez utiliser jusqu'à la corde la moindre brindille du pouvoir dont on vous aura fait l'aumône, et que, non content de jalouser à vos géniteurs le droit de vie et de mort qu'une société friande de loterie leur accorde sur leurs enfants, vous entendez l'exercer également sur ceux qui les entourent, dans la crainte sans doute que l'amour qu'ils vous doivent soit partagé avec ceux qui l'auraient mérité à titre gratuit. – Cachez maintenant, je vous prie, ce que vous appelez un bijou. Je l'ai vu, c'est entendu. – Mais il vous faudra admettre en retour, malgré l'étroitesse de vos vues et la conformité de votre jugement, que votre sœur, être à part entière, au même titre que vous, pour ne pas dire davantage, puisse décider aussi bien que vous, et à vrai dire beaucoup mieux, à qui il convient d'accorder, je ne dis pas : ses faveurs, terme que j'abandonne à votre lexique boursicoteur, mais sa confiance. Ainsi, de même qu'un océan de supplications ne me ferait pas rester une seconde de plus auprès d'elle si elle me priait de partir, une forêt d'épieux ne m'éloignera pas d'un pouce si elle me prie de rester. Souffrez donc que, pour ne pas la mettre dans l'embarras, je lui pose directement la question un jour où vous ne serez pas là pour répondre à sa place et m'esquive en effet à présent pour ne pas prolonger davantage un entretien qui, je vous l'avoue, commence à m'ennuyer.

– Très bien, dit le jeune homme, je vois qu'il n'y a pas moyen de se parler. Mais je vous aurai prévenu », et il montra la porte.

Et comme il se tournait vers Lucie, Dracula vit qu'elle prenait maintenant un air dépité, presque dur, dont il ne sut s'il s'adressait au frère perturbateur ou à lui-même. Aussi, pour qu'elle ne doutât pas de la dévotion qu'il lui avait tout à l'heure exprimée et y trouvât la force d'attendre son retour, il choisit de ne pas quitter la pièce sans lui avoir donné une preuve nouvelle de sa constance et, dédaignant la porte qu'on lui désignait d'un index inutilement péremptoire, il s'envola par la fenêtre.

En un coup d'ailes, il fut chez lui.

« Ah ! Cukol, je suis perdu ! Je reviens de chez Lucie. Elle est charmante, tu sais, vraiment charmante, merveilleuse...

– Vous en avez l'air tout bouleversé.

– Elle m'a offert sa gorge avec une innocence, une spontanéité, une confiance qui m'ont fait perdre mes moyens, accoutumé que je suis à ne mordre qu'aux gorges rétives.

– Eh bien, mordîtes-vous ?

– Non, je ne l'ai pu, et pas seulement parce qu'elle m'offrait ce que cinq siècles de vampirisme m'ont habitué à dérober. Mais j'ai senti soudain qu'avec elle je pourrais peut-être vivre enfin un véritable amour, au-delà d'une succion qui, figure-toi, m'a paru vulgaire. Oui, je suis fatigué de la demi-vie que je mène : mourir, ressusciter, mordre et mordre encore, à quoi bon ? Je voudrais maintenant être vivant, et mortel pour éprouver que je suis vivant, la tenir dans mes bras, recevoir sa tête sur mon épaule, à la lumière du jour, voyager, être en paix avec l'univers, dormir contre elle...

– L'épouser, fonder une famille ?

– Que dis-tu ? L'idée ne m'en était pas venue, mais à présent que tu en parles, ce serait charmant un petit enfant à qui elle donnerait le sein et qui me grimperait sur les genoux...

– Si le sang vous répugne au point de vous inspirer maintenant des rêves de lait, je vois bien que vous avez perdu la raison.

– Je viens de la trouver, au contraire. On ne peut être à la fois amoureux et vampire. Qu'ai-je à lui offrir ? Un cercueil au fond d'une crypte, une éternité pleine de morsures et de cous transpercés ? Est-ce là une perspective qui puisse séduire une jeune fille ? Non, il y a là quelque chose qui doit être résolu et assumé, quel qu'en soit le prix. Tandis que j'étais dans sa chambre, son frère a fait intrusion, un jeune fat plein de lui-même et qui s'est cru très brave de m'interdire la chambre de sa sœur en me menaçant du concept d'épieu. Eh bien, sais-tu quel désir m'est venu ?

– D'offrir votre poitrine à l'épieu, pour l'amour d'elle, et de trouver enfin contre son sein un éternel repos.

– Comment sais-tu cela, lourdaud ?

– C'est que l'exceptionnel n'est que la plus petite division du banal.

– Ne peux-tu cesser d'appliquer aux réalités des maximes qui leur vont aussi bien que des guêtres aux lapins ? Comprends donc. Est-il possible de concilier en moi la part qui a soif et celle qui a sommeil quand chacune des deux paraît épuiser l'autre et non la fortifier ?

– C'est que vous êtes une sorte d'artiste. Font-ils autre chose toute leur vie que d'essayer d'accorder tant bien que mal ces deux parts qui les tirent à hue et à dia, celle qui se tourne vers l'intérieur pour trouver la vérité et celle qui s'ouvre à l'extérieur pour recevoir les mensonges du monde ? Croyez-vous qu'on obtiendrait du miel en privant les abeilles soit de fleurs soit de ruche ? Le monde est ainsi, monsieur, et tant que l'épieu ne vous en aura pas débarrassé, c'est que vous serez au monde, d'une façon ou d'une autre. Méditez cela.

– Au pape, tes méditations ! Tu sais bien que les choses sont plus compliquées pour un vampire. Tiens, admettons que je sois amoureux d'une jeune fille.

– Bon, nous y voilà. Admettons.

– Il me faut bien l'aimer pour ce qu'elle est : vivante. Je ne puis pourtant l'aimer qu'en la tuant, et la tuant je ne puis plus l'aimer.

– En quoi cela est-il exceptionnel ? Toutes les jeunes filles sont mortelles, pire : vieillissantes. On en aime une parce qu'elle est jeune, innocente, immaculée, que sais-je encore ? Mais qu'on se penche seulement sur elle pour le vérifier, et c'en est fini de son innocence, on ne peut déjà plus l'aimer après comme on l'aimait avant. De la promesse au souvenir il n'y a qu'un instant, et si l'instant en vient, comme je le vois, à vous torturer, c'est que le temps vous a inoculé son venin. Rappelez-vous qu'Achille ne découvre le beau visage de Penthésilée qu'en la retournant pour lui plonger son fer au sein et que l'instant où il l'aime est celui où il la tue, et qu'aimer ne signifie jamais que soupirer vers une étoile ou pleurer sur un cadavre.

– Je crois que ma bibliothèque a commencé de te faire pousser des champignons à la cervelle et que je vais t'en interdire l'accès.

– Voilà l'affaire. Un seul regard, et vive toute la sottise du monde qui m'en promet un second !

– Je ne m'étonne pas qu'un butor appelle l'amour une sottise.

– Ah ! monsieur, je vois bien que vous perdez les pédales. Faut-il donc qu'une péronnelle ait pu faire voler en éclats votre belle assurance et toute la philosophie de votre bibliothèque ?

– Laisse-là mon assurance et où veux-tu en venir encore avec ta philosophie ?

– Je veux en venir à ce que savent les vieux poètes, et les penseurs, et saint Augustin, et saint Thomas, et que vous savez aussi bien que moi.

– Oui, mais fais comme si je l'avais oublié.

– Eh bien, rappelez-vous alors que l'amour est une semence qui germe jusque dans la mort et qu'inversement la mort n'a pas pour jeter ses graines de plus fécond terreau que l'amour, ne serait-ce que parce que cet amour tue chaque fois quelque chose de nous-même, quand ce ne serait qu'une parcelle du temps qui fait notre passé, et que, tuant ainsi un peu de ce que nous étions, il nous pousse à devenir ce que nous ne sommes pas encore, à infuser la vie dans un être nouveau et à donner naissance ! Or, rappelez-le-vous, cette bouillante fusion de vie et de mort, quelle est sa substance ? Le sang. Quel est son lieu ? L'obscur, et rappelez-vous encore que nul ne peut accéder à la lumière qui n'a d'abord appris à s'orienter dans l'ombre, qu'Œdipe lui-même, le faux pervers, ne le découvre qu'après s'être si violemment injecté les yeux de sang lorsqu'il s'écrie enfin : « Obscurité, ô ma lumière ! » suivant en cela les traces de Tirésias l'aveugle qui l'avait précédé plus profond dans la pénombre et plus loin dans la vision, que Tirésias en personne l'avait appris d'Hadès, maître du royaume sans clarté, lorsqu'il fut autorisé à boire à la fosse de sang noir, ce sang des sacrifices dont le dieu des morts-vivants fait son miroir, et que ce miroir de sang qu'il tend aux visiteurs ce n'est pas leur image qu'il leur renvoie, leur pauvre, leur inutile, leur immédiate et superficielle image, mais celle, ô combien plus lointaine et plus vraie, des morts qui leur sont chers et qui hors d'eux ne sont plus rien, et lorsque Ulysse, celui aux mille tours qui fit tant pour que le baiser du dieu mordît Iphigénie à la gorge, lorsque Ulysse y penche sa face pleine de sel et de barbe, ce n'est pas la sienne qu'il y retrouve, mais celle de sa mère qui lui donna la vie et qu'il reconnaît par l'obscur et par le sang, ainsi substances doublement germinatives. Ô Dracula, mon maître, à qui fut octroyé pour grâce supérieure le règne du sang et de la nuit, vous rayonniez dans les ténèbres comme au ciel éternel et vous marchiez dans les cimetières comme dans une vallée de gloire, dieu compatissant qui n'apparaissiez à vos victimes, à vos élus éblouis que dans l'aveuglante révélation de la vérité, vous qui portiez comme un amour la haine du siècle et de l'humain jusqu'à une telle perfection de la vertu que tous ermites et mystagogues s'essoufflent en vain derrière elle, allez-vous abdiquer tout cela pour une pucelle à qui le poil et les mamelles n'ont poussé qu'à moitié ? Vous étiez mon maître, ma vérité et mon exemple, mon seul flambeau quand la vie devenait labyrinthe, mon sucre d'orge quand elle était amère, et je vous ai servi parce que je vous aimais. Mais si vous renoncez à votre génie, il ne vous en restera que le vice, avec le sang pour luxe infâme. Aussi je vous le dis tout net, plutôt que de consentir à servir un tel maître comme un larbin sans moralité, j'aimerais mieux vous planter là avec vos caprices et me faire aide-traiteur chez Potel et Chabot !

— Faut-il que tu sois ignorant de la vie pour employer de telles béquilles que tes poètes et philosophes tout juste forts à contenter les bonnes femmes avec des fables ! Que crois-tu que vaille ton baragouin de valet auprès d'un sourire de Lucie ? Tu ne sais pas comme un seul regard peut faire tomber en pourriture dix mille pages de sommes théologiques. Oui, je suis au point, je crois, où je serais prêt à payer du prix de l'épieu le bonheur d'aimer et d'être aimé, comme tout le monde.

— La vie ! Le bonheur ! Voilà que vous parlez de cela comme si c'était devenu quelque chose, comme tout le monde. Sachez d'abord que tout valet que je sois, je ne permets pas au comte

Dracula de mépriser les fables et les légendes, ni à un vampire de m'expliquer ce que c'est que la vie. Sachez ensuite que les meilleures choses ont une fin et qu'il y a des fins qui sont vraiment des fins. Je vois que vous n'êtes plus le même, et qu'il faut nous séparer. Adieu, soyez heureux, vous ne méritez pas mieux.

– Cukol ! Ne me laisse pas ! Ne vois-tu pas comme je suis seul, déjà ?

– Seul ! Faut-il donc que vous ayez peur pour parler ainsi, et qu'elle vous ait changé ! Tout cela pour une demi-vivante, presque une enfant, qui sait à peine son catéchisme et qui vous met à genoux comme un premier communiant avide de recevoir sur votre langue l'hostie de la sienne ! Ah ! le plus vampire des deux n'est pas celui qu'on croit. Tout n'a plus d'intérêt pour vous que dans l'amour d'une seule, et l'on ne peut rien vous souhaiter de plus fort que le contact de sa joue contre la vôtre. Jusqu'où descendrez-vous ? Encore un pas et vous ferez des vœux pour gagner à la loterie. Vous voilà comme ces gens qui se sui-cident par chagrin d'amour ou par revers de fortune. Que leur maîtresse revienne ou qu'on leur signe un chèque, et la vie a repris tout son sens et vaut d'être vécue. Du moins ont-ils le bon goût en se supprimant spontanément de nous débarrasser de leur dégradante présence.

– Tu ne sais que m'accabler quand je suis déjà désemparé. Quel est ton conseil ?

– Quelle est la question ?

– Mordre ou ne pas mordre.

– Voici la réponse : le concept de chien ne mord pas, celui de vampire non plus. Vous vous êtes entiché de cette luciole, soit. Vous tremblez de vous pencher sur elle sans pouvoir la mordre. Soit encore. Je dis que vous n'avez rien de plus à faire avec elle que ce que vous avez déjà fait et que votre affaire est finie. Par conséquent, soit vous vous en tenez là soit vous la mordez et l'affaire reste non moins finie. Ensuite, que vous l'ayez mordue ou non, vous pouvez soit vous pencher sur d'autres sans oser les mordre soit en l'osant. De toute façon, l'affaire est finie et un multiplié par un égale un. Voilà l'instant dont je vous parle.

– Ne donnes-tu jamais que des conseils aussi clairs et vas-tu m'assommer de mathématiques après m'avoir assourdi de philosophie ? Peut-on vivre l'instant quand on est éternel, animal ?

– Pourquoi non ? Les mortels sont bien obsédés d'intemporel. S'ils meurent de tant d'éternité, vous pouvez bien ne pas mourir de tant d'instants.

– Assez de galimatias et de paradoxes.

– Il n'y a que l'épieu pour y mettre le terme.

– Ton conseil ?

– Le voici encore : faites ce que vous voulez.

– Bon. Celui-là me paraît judicieux, et je vais le suivre.

– Mais gardez-vous que ce qui vous perce le cœur ne commence par l'amour et ne finisse par l'épieu.

– Tiens, la vitre pâlit. Est-ce qu'on allume d'autres réverbères ?

– Non, c'est le jour qui prend le relais. Bah ! l'essentiel est qu'on ne voie jamais les étoiles !

– L'essentiel est surtout qu'on ne voie pas le soleil. Il est temps d'aller s'étendre. Et puis, le jour porte conseil. »

Il fit comme il disait, car si les mortels ont parfois du mal à trouver le sommeil, les vampires n'en ont pas à retrouver la mort.

IV

Et pourtant, Dracula mourut mal ce jour-là. Hermétiquement clos pour faire obstacle aux sonores cruautés du voisinage, l'intérieur du cercueil accréditait l'illusion d'une nuit opaque auprès de son habitant réveillé plusieurs fois en sursaut, et presque en nage, avec le sentiment d'être enterré vif, chose terrible pour un vampire, de sorte que, après l'avoir entendu se tourner et se contorsionner dans sa boîte, Cukol eut la surprise d'être réveillé par lui alors que les dernières lueurs du crépuscule se retiraient à peine, encore qu'à pas de loup.

« Déjà levé, monseigneur ?

– Ne m'appelle pas monseigneur. Tu es encore à paresser quand ton maître est debout. Figure-toi que la nuit va tomber.

– Cela s'est déjà vu. Quelle urgence y voyez-vous ? Point de feu ni de chandelle à allumer, guère de ménage. D'où vient la hâte ?

– N'es-tu pas là aussi pour m'écouter et pour me parler ?

– Doux emploi que le mien ! Voulez-vous que je vous parle de Pascal, pour qui tout le malheur du monde vient de ne pas savoir rester en paix dans son cercueil ?

– Au pape, ton Pascal ! Tu sais de qui je veux te parler. Écoute, plus j'y songe, plus je pense que Lucie – ne soupire pas, insolent ! – que Lucie m'aime ou croit m'aimer parce que je suis Dracula, et non parce que je suis moi-même.

– C'est bien de la fine nuance, de si bonne heure.

– Je veux dire que c'est le vampire qui, loin de l'effrayer, doit la séduire en moi, comme un acteur qui aurait créé le rôle. Or, je veux être aimé pour moi-même, non pour quelque richesse ou crédit qu'on peut croire que j'ai.

– Quant à moi je ne serais pas fâché d'être aimé pour mon argent plutôt que pour moi-même.

– Ne comprends-tu ce que je te dis ? Rappelle-moi comment ton Quichotte se tire d'affaire après avoir été pris pour lui-même ?

– En mourant, pardi !

– Je n'aime pas cette fin ! Trouve-m'en une autre.

– Voulez-vous que je me présente à elle comme

une des multiples formes du comte Dracula pour vous rapporter ensuite comment elle vous aime en moi pour vous-même ? N'est-ce pas une bonne idée ?

– Exécrable. À t'imaginer penché sur elle en soufflant comme un cachalot, l'envie me prend de te défoncer le cœur de ces mains que tu vois, là.

– Calmez-vous. Si vous craignez d'être aimé comme vampire plutôt que comme vous-même – avouez que c'est une étrange distinction – aimez-vous donc en mortels, et advienne que pourra.

– Ah, tu penses cela ? Figure-toi que j'y pensais aussi

– Voilà qui surprend. Cela est merveilleux comme l'impossible vous devient familier.

– Rien d'impossible. Elle pourrait fort bien vivre avec moi à Bistritz, où elle serait traitée comme une reine. Comme une reine, Cukol. Et son cou resterait immaculé, tu m'entends, Cukol, immaculé.

– J'entends, je ne suis pas sourd. Et plût au ciel que je le fusse plutôt que d'entendre de pareilles sornettes ! Pensez seulement qu'à vivre en mortel, quoique ne l'étant pas, vous encourrez la dure loi des vivants : enlèvement, séquestration, détournement de mineure, et j'en passe, plus que ne vous en passeront les frontières et les tribunaux. Quand vous aurez payé ce prix-là, en sortant de prison, quelle jeune fille croyez-vous retrouver après tant d'années, si vous la retrouvez ? Enfin, ce serait bien le pire paradoxe que d'avoir vécu mort et libre de saigner à tout-venant, mais d'être condamné pour avoir voulu vivre comme tout le monde, abstinent de surcroît. Mordez plutôt !

— Je ne dis pas qu'à l'instant fatal qui la changerait en femelle ordinaire, hystérophore et mamelue, je ne saurais pas substituer la plus douce fatalité qui la garderait jeune fille, mais nous n'en sommes pas là. Au demeurant, nulle violence là-dedans. Imaginons seulement qu'elle déserte quelque saine colonie de vacances roumaine pour le rapprochement des peuples.

— J'aime assez la chaste idée que vous vous faites des rapprochements dans la jeunesse, mais ce n'est pas la mienne.

— Non, c'est un beau projet, il faut lui en parler, et tu m'y aideras.

— Jamais !

— Insolent ! Où a-t-on vu que le valet dise « jamais » quand le maître a parlé ? Tu viendras faire le guet puisque risque il y a et parce que je l'ordonne, ou tu t'en iras sur-le-champ gagner ou perdre ailleurs ton espèce de vie.

— J'irai donc si vous le prenez sur ce ton, mais dans un cas comme dans l'autre je vois bien qu'il me faudra demander à ma petite retroussée du syndicat de me placer quelque part. En extra. J'aime ce mot.

— Puisque te voilà dans de bonnes dispositions, ne perdons pas de temps. On ne veille guère, à cet âge-là, et je ne veux pas la réveiller plus tard. »

Ils furent donc, de nouveau, dans les rues de Paris, Dracula à grands pas et Cukol en traînant, dans l'espoir toujours déçu de retarder au moins d'un soir l'exécution du projet magistral, Dracula s'arrêtant au besoin pour attendre son valet occupé contre une borne à renouer un lacet ou à lâcher de l'eau, et profitant de chaque interruption pour aspirer l'air nocturne et à peine moins carbonique que le diurne de son prochain triomphe en s'écriant parfois : «Ô nuit, nuit radieuse », etc., Cukol gloussant de ce lyrisme et ne désarmant pas, tous deux marchant toujours.

« Croyez-moi, monsieur, n'allez pas faire cette sottise de donner votre adresse. La petite peut avoir la langue mieux pendue que l'esprit.

— J'ai confiance en Lucie.

— Vous avez confiance en Lucie, et Adam avait confiance en Ève, et Samson avait confiance en Dalila, et Holopherne avait confiance en Judith, et...

— Elle ne me dénoncera pas.

« – Je ne dis pas qu'elle vous dénonce, mais si elle allait seulement communiquer votre adresse pour se rendre intéressante et si pour le coup vous voyiez accourir au château une troupe de chasseurs au pieu, et si...

– Et si, et si, et si le ciel était rouge la mer serait rose, et si les poissons avaient des ailes les oiseaux auraient des nageoires.

– Ne plaisantez pas avec cela, monsieur. Vous ne savez pas ce que c'est qu'être un vampire errant, avec sa caisse sur le dos, toujours en quête d'un entrepôt ou d'un garage désaffectés, parce qu'il a retrouvé sa demeure en cendres fraîchement souillées d'eau bénite, vous n'imaginez pas l'enfer du nomade par force. Vous fuirez, vous craindrez, vous tremblerez à chaque rencontre, n'osant plus parler à personne, n'osant même plus siffler une fille sans risquer des représailles.

– Sifflé-je jamais ?

– De moins en moins.

– Tu m'ennuies. Je vais vers mon bonheur. Parle d'autre chose ou tais-toi. »

Cukol se taisait donc, s'ingéniait à se tromper de rue, ouvrait la bouche pour parler et la refermait au vu de l'œil du maître ; tentative et répression s'enhardissant parfois jusqu'au monosyllabe :

« Je...

– Non ! »

Mais guère plus, et cela tout en marchant, hélas ! et d'une marche silencieuse qui doublait l'anxiété de Cukol.

« Ah ! J'étouffe de ce silence ! Laissez-moi au moins vous raconter une histoire pour m'occuper la langue.

– Je me méfie de tes histoires comme de tout ce qui vient de toi, mais va toujours, je ne veux pas t'étouffer.

– Voici. Figurez-vous qu'au moment où mon histoire commence, une nuit épaisse couvrait la Terre où ne rôdaient encore ni hommes ni bêtes.

– Tiens ? Est-ce une histoire de légumes ? Si tu commences ta rhapsodie aux origines de l'univers, où la finiras-tu ? Le chemin n'est pas si long. Abrège.

– Ce n'était pas un début inutile, mais soit. Tenons-nous-en à ces humains dont, décidément, vous vous languissez toujours davantage. Représentez-vous donc un homme d'un mètre soixante-huit et de presque autant de kilos que de centimètres, ayant les yeux marron tirant sur le noir, le poil noir tirant sur le marron, le nez droit à peine renflé vers la fin, le menton…

– Bon, bon, je me le représente. Faudra-t-il apprendre aussi combien il avait d'yeux, de mentons, de cheveux ?

– Pas de description, pas de détails, rien ? À force il ne restera plus que l'essentiel.

– C'est ce que je veux.

– À votre guise. C'est l'histoire d'un homme qui aime une femme.

– Eh bien ! C'est tout ?

– Comment, c'est tout ? N'est-ce pas assez ?

– Mais où est ton histoire ?

– Elle est là tout entière, et beaucoup d'autres avec elle, mais si vous ne voulez que l'essentiel, autant s'en tenir là. Le reste est de la littérature. Répétez-vous : « l'amour, la mort », et tous les romans du monde tiendront là-dedans. N'allons pas plus loin.

– Allons-y, au contraire. Rien ne m'intéresse davantage que ces deux mots-là. Il faudra que je sois un artiste, comme tu me l'avais dit.

– Je vous apprendrai donc, pour toute description, que la femme était belle.

– Jolie nouvelle ! A-t-on jamais vu dans les romans, et là seulement, des bien-aimées qui ne soient pas belles ?

– Nierez-vous que votre Lucie le soit ?

– Est-ce un personnage de roman ?

– N'en êtes-vous un vous-même ? Allez vous plaindre après cela, mort-vivant, qu'on vous aime comme personnage quand vous sortez de l'imagination pour tomber dans la réalité !

« – Paraître, c'est paraître.

– Forte logique, surtout pour quelqu'un qui n'a ni ombre ni reflet. Dès que vous paraissez dans la nature, c'est pour en bafouer les lois, et vous voudriez qu'on vous comprît dans elle. Dites-moi, lequel de nous deux donne le plus dans le paradoxe ?

– Paradoxe n'est ni mensonge ni chimère. Je suis toujours moi-même, c'est simple.

– Très simple, oui, car être toujours soi-même signifie qu'on est le même en deux moments différents. Or, la répétition changeant le sens de ce qui est répété, vous ne sauriez mieux changer qu'en restant vous-même ou, disons, changer toujours de rester le même en ce changement, si vous préférez.

– Ce que je préfère ? Fais-moi plaisir, Cukol : marchons en silence. »

Ainsi, en silence, réduisirent-ils encore jusqu'à la nullité la distance qui les séparait de leur but, autant attendu par l'un que redouté par l'autre, et déjà l'incomparable vitre voilée de blanche mousseline faisait luire dans la pénombre et la lampe et l'espoir. Mais, pour s'accorder à l'esthétique draculéenne du récit vidé de sang, allons plus vite. Ici, description de la fenêtre de Lucie et de l'émotion de l'amoureux qui se tient un instant immobile devant elle, trop longtemps encore pour l'économie de notre récit. Quelques mots comme « battement », « frémissements » associent en un même émoi volets et rideaux de l'une, cœur et narines de l'autre. Cukol avait beau supplier : « Monsieur, monsieur... » Peine perdue ! Il fut unilatéralement convenu que le maître s'élèverait à l'étage tandis que le valet guetterait dans la rue, prêt à siffler à la première alerte : rassemblement, conciliabule, lampe allumée *intra-muros*, apparition même lointaine d'ail ou de crucifix. Là-dessus, Dracula disparut et une chauve-souris vint battre de son aile la vitre de l'étage, qui s'ouvrit aussitôt.

Lucie avait attendu son noir visiteur, et l'émotion la tint un instant silencieuse tandis que le comte, figé par une beauté à quoi il ne s'habituait pas, se taisait également, immobile, désemparé et sentant toute résolution fondre devant la jeune fille comme neige ou vampire au soleil. Elle parla enfin : sa mère l'avait giflée, le monde la dégoûtait, elle attendait son libérateur, elle se disait prête. Et lui, qui croyait l'être à tout, ne l'était plus à rien, les désirs de fuir, d'enlever, de convaincre, de dissuader, de mordre ou d'embrasser ramassés en boule, comme une indémêlable pelote qui lui nouait la gorge.

« Dois-je découvrir mon cou ? Est-ce assez comme cela ? Je vais ôter ma chaîne, qui pourrait vous gêner. Car je dois vous dire que...

– Laisse donc, attends un moment. Es-tu bien sûre que tu le veuilles ? Parlons un peu.

– Pas trop. Mon frère et mes parents sont sur leurs gardes ; ils ont passé une partie de l'après-midi à faire des copeaux et des épluchures.

– Mais toi, n'as-tu pas peur ?

– Peur de quoi ? D'être immortelle, de rester toujours la même, c'est-à-dire jeune et belle, n'est-ce pas ?

– Immortelle, jeune et belle, tu ne sais pas de quoi tu parles. Ne préférerais-tu pas vivre en paix dans mon château des Carpates ?

– Vivre ? En paix ?

– Oui, vivre comme tout le monde.

– Non, non, je ne veux rien comme tout le monde. Je préfère être exceptionnelle. Hâtez-vous, on peut venir. »

Et elle découvrait toujours cette gorge devant laquelle Dracula restait impuissant et en quoi, du respect au désir d'appropriation, tenaient tous les possibles, toute la paradoxale et contradictoire matière du monde. Aussi, comment saisir ce qui émeut vraiment ? Il la prit par les épaules, la secoua presque.

« Immortelle, malheureuse ? Tu te représentes donc l'éternité comme de longues vacances où tu promènerais au soleil une invulnérable jeunesse ? Mais tu ne sais pas ce que c'est que l'immortalité, tu ne sais pas ce que c'est de ne jamais dormir la nuit et d'y rôder toujours sans trouver la paix, à aucun moment, de se tenir devant les siècles comme devant la mer, en se disant : toujours, toujours, sans fin, et chaque nuit une fatigue plus lourde s'ajoute à celle de la précédente, et le siècle prochain pèse déjà sur le dernier, les mœurs changent, les gens, les villes, le langage, tout est mouvement, mais nous, fixes, comme des rochers, sans larmes pour pleurer, rien, pas même un trou dans tout cela pour s'y reposer ne serait-ce qu'un instant ! Imagine donc que tes cours, au lycée, se succèdent sans fin, après le français les mathématiques, après les mathématiques l'anglais, et l'histoire, et la physique, puis un autre, encore un autre, sans fin, sans récréation, sans rien, puis les sciences naturelles, puis la géographie, puis d'autres encore, à perpétuité, imagines-tu cela ? Ainsi sont les siècles pour nous. Rester la même ? Mais il faut changer pour rester la même. Ton corps serait jeune et beau, sans doute, mais froid par-dessus tout, si froid. Ah ! Vieillir plutôt, Lucie, et ce que je te dis là me déchire l'âme que je n'ai pas, mais pense au bonheur de vieillir, aux jeunes gens qui vont t'attendre à la sortie d'un cœur battant, et le tien battra aussi pour celui-là qui répondra si tard et si peu à ta lettre, et tu pleureras dans tes oreillers, ô douces larmes de miel, et puis tu choisiras des meubles et du papier peint avec un mari additionneur et soustracteur, et des enfants viendront te bourdonner aux oreilles et t'apporter des fleurs pour ta fête, et tu auras des souvenirs, des projets, des ennuis, qu'ils sont mignons, qu'ils sont berceurs, ces ennuis, qu'elle est douce la compagnie des imbéciles comparée à celle des morts-vivants ou à la solitude ! Tes cheveux blanchiront ; c'est charmant une vieille dame, ça parle, ça radote, ça suce des bonbons, et ça se fatigue d'un coup de vent, ça donne des recettes de confitures et des remèdes de l'ancien temps, ça raconte des histoires aux gamins qui se déchirent les genoux au jardin et qui vont chercher des œufs de Pâques dans les buissons où l'on fait semblant de ne pas savoir qu'ils sont. Penseras-tu à moi quand tu seras une vieille dame à qui l'on aura remonté ses oreillers à la tombée du soir parce que tu voudras dormir, rêver, et te rappeler des souvenirs de déjeuners sur l'herbe et de promenades au long du lac de Côme ? Penseras-tu à moi qui me réveillerai en sursaut dans mon cercueil et dans un siècle qui ne sera jamais le mien, assoiffé d'un sang qui me répugne et qui m'est nécessaire ? Sais-tu qu'on en vient à désirer l'épieu qui nous perce le cœur pour nous renvoyer enfin à la poussière, à la chère poussière commune, universelle ? Qu'on ne rêve plus que de pouvoir se dire, comme tout le monde : à la retraite j'irai finir mes jours à la campagne. Retraite, finir ses jours ! Voilà la paix qui nous est interdite à nous autres, vampires. Pour nous : sépulcre, sang, tombe, cimetière, froid, caveau, cercueil sur lequel on ne vient jamais que pour haïr et défoncer, chercher pour le détruire un cœur qui ne bat plus, toujours ; voilà notre avenir, voilà notre passé, voilà toute notre non-vie, et voilà ce que serait la tienne si ton cou portait mes stigmates, ma blanche, ma douce Lucie. Faut-il que je t'aime pour te dire cela... »

À ce moment, sous la fenêtre, un allègre sifflet rappela tant bien que mal l'air du *Barbier de Séville*, « Figaro-ci Figaro-là ».

« Sois comme tout le monde, comme les crétins, tes camarades, tes parents, tes professeurs, sois comme cela, je te le dis par amour, et sois-le même sans moi s'il le fallait. Et maintenant, parle, mais vite.

– Je ne sais pas, dit Lucie, à vous entendre, à vous voir, on s'interroge quand même... »

Le sifflet retentit encore, Fiiigaro Figarofigaro, Lucie protégea sa gorge. À ce geste protecteur, à l'insistance du sifflet, Dracula sentit croître sa tendresse jusqu'à la violence et se charger de crainte, pressée, pressée, comme s'il fallait qu'elle s'accomplît maintenant ou jamais plus. Tout lui échapperait-il ? D'avoir aimé au-delà de la mort, et jusque dans la vie, pour lui plus lointaine encore, allait-il perdre non seulement le sang qui lui donnait la force mais encore ce sourire qui la lui ôtait sans qu'il la regrettât ? Comme le courant éloigne la barque du rivage, une force inconnue mettait entre elle et lui une distance qu'il ne saurait plus franchir. Elle ne le suivrait pas, pas ce soir, demain peut-être moins encore, et la perdre, la perdre ne pouvait être possible.

« Lucie, célébrons nos noces de sang. Donne, donne vite ta gorge.

– Je ne sais pas, répétait-elle, laissez-moi réfléchir. Qui siffle comme ça ? Vous me faites un peu peur », et un début de larmes attisa l'obscure soif du vampire, et sa détresse de l'éprouver.

« Il n'est plus temps, Lucie, nous allons être séparés. Donne donc ! »

Elle se détourna, recula vers la porte. Il vint alors à Dracula un grognement, mi-désespoir mi-dépit, et quelque chose montait en lui qui découvrit ses crocs lorsqu'il s'approcha d'elle, plein de désir, et de solitude, et de tristesse, et de rage aussi, sourde encore, mais qui enflait sa poitrine. En bas, un Figaro affolé s'époumonait en wagnériennes stridences. On montait l'escalier. Lucie poussa un cri. Le comte la saisit, et il cherchait sa gorge quand la porte s'ouvrit à grand bruit sur une étrange trinité composée de trois mâles en qui il reconnut le père et le fils sans pouvoir identifier le troisième larron, le premier affligé d'un crucifix de série qu'il élevait des deux mains en avant de sa tête, le deuxième d'un chapelet d'ail qu'il balançait à bout de bras ainsi qu'un encensoir, le troisième d'un pied de lampadaire grossièrement taillé en pointe et d'un maillet flambant neuf, tout cela marmonnant des cantiques en grondant et formant, il faut l'avouer, une si répugnante apparition, tant sur le plan esthétique que moral, que le comte en eut un haut-le-cœur et ne put se retenir de protéger ses yeux de cette offensante vision.

« Me permettrez-vous, messieurs, de m'étonner de votre peu banale intrusion et de vous prier de m'éclairer, au figuré, sur le sens de la cérémonie à laquelle vous entendez manifestement participer, car j'ai du mal à démêler s'il s'agit de liturgie, de cuisine ou de lynchage.

— Assez de parlotes ! Sus au vampire ! Perçons-lui le cœur ! » fut la réponse sans ambiguïté qu'ils lui fournirent en agitant leurs outils, amulettes et condiments avec un bruit de castagnettes et en les orientant vers le sternum détesté.

« Lucie ! » cria encore le comte, mais, le signe comminatoire du petit Jésus aux vapeurs d'ail déformant ses traits, l'imploration se changeait en grimace et n'inspirait déjà même plus la pitié. Une horreur renouvelée tira un cri aux justiciers et Lucie ne retint qu'à peine le sien, aidée en cela par ses sanglots. Par un mouvement inverse à celui que lui inspirait la répulsion, la sainte trinité s'avança d'un pas, enhardie par la douleur de l'unique qui commençait sa métamorphose. Une gousse d'ail qui le frappa au front fit rugir le monstre dont la voix s'étrangla en sifflet, et ses ailes membraneuses s'étaient à peine déployées qu'une pointe d'épieu violemment projetée en déchira le bord. Il s'éleva cependant.

« Fermez la fenêtre ! » cria le père en voyant voleter le chiroptère.

Avec une héroïque précipitation, le fils se jeta sur l'espagnolette, et la chauve-souris sur la filiale chevelure, qui s'en dressa d'horreur ; un tumulte de cris et de meubles renversés s'ensuivit, et le coup de maillet que le Saint-Esprit destinait à l'animal mobile ne s'abattit que sur le crâne du fils, lequel négligea aussitôt la courageuse mission dont on l'avait investi auprès de l'espagnolette pour se prendre la tête à deux mains, comme sous le coup d'une pensée enfin originale, avant de s'écrier en écartant les doigts : « Du sang ! Du sang ! » car le spirituel et contondant instrument en avait fait paraître quelques gouttes dans cette histoire où l'on en attendait davantage.

Alors qu'une maladroite frénésie s'acharnait à grands coups sur les murs, les cadres et les pendules, Dracula avait déjà franchi le rideau de la fenêtre qu'on avait voulu lui interdire et, du balcon, prenait son essor. Un épieu qui tentait de l'atteindre fit voler la vitre en éclats et, entraînant le rideau de mousseline dans sa chute, imita un instant la trajectoire des comètes dont la chevelure nébuleuse traverse en tournoyant de scintillantes constellations avant de s'écraser dans un bruit de verre et de métal, prosaïque quoique filante étoile, sur le toit d'un véhicule dont le chauffeur jaillit en vociférant et en montrant le poing pour exiger férocement un constat à l'amiable. Cependant, fuyant ces retentissants abords, le vampire s'élançait dans les airs, et ceux que ne lassent jamais les reflets des ponts sur la Seine obscurcie, ni ceux de Notre-Dame ou de la tour Eiffel pâlement illuminées au loin, s'étonnèrent peut-être de la chauve-souris hagarde qui rasa les toits et les réverbères, avant qu'un vol blessé la perdît tout à fait dans le clignotement sans limites de la nuit parisienne où elle lançait des cris plaintifs, comme des soupirs d'enfant qui retient ses sanglots.

V

Combien triste eût paru le mammifère ailé si quelque observateur en suspension eût pu s'intéresser à l'expression que trahissaient difficilement les minuscules yeux du rhinolophe, et comme il eût été troublant, après avoir observé l'animal voleter un instant devant la fenêtre suffisamment entrouverte pour qu'il la franchît sans peine et qu'il vînt s'abattre sur un fauteuil où il s'assit en croisant les jambes, de reconnaître, considérablement agrandie dans le regard du comte Dracula, une égale détresse, sentiment qui l'emportait manifestement sur la rage qui l'avait elle-même emporté sur la peur ! Tel il était lorsque Cukol, essoufflé par la course et par l'escalier, soupira de le retrouver sain et sauf, et donc aussi mort que vif, malgré sa cape déchirée, son front encore rougi d'un impact de gousse dont l'odoriférant souvenir infectait à peine les abords, et ce regard au bord des larmes, mais sans vertige.

Oui, Cukol l'avait bien vu s'élancer du balcon de Lucie, suivi de près par un pied de lampadaire comme enflammé de mousseline, et, profitant de la diversion provoquée par l'amiable conducteur, s'était esquivé vers son antinomique et provisoire bercail. Relation lui y fut faite par le menu des récents événements dont le narrateur subissait encore l'effet, ainsi qu'en témoignaient divers gestes de main, chevrotements de voix et troubles de regards, et dont l'auditeur même fut fort impressionné. L'affaire était d'importance, la présence du monstre attestée par plusieurs témoins et le danger réel. Cukol était d'avis d'écourter leur séjour. Mais non pas Dracula.

« Tu n'y penses pas ! Renoncer si près du but ?

– Comment, si près du but ? On vous a chassé comme un galeux, le souffle du pieu vous décoiffe encore, le souvenir du crucifié vous crispe toujours la lèvre, et la bien-aimée se détourne de vous en poussant des cris. Quel est-il donc, ce but ? Par ailleurs, et sans vouloir vous affliger, l'attachement dont vous vous bercez m'a tout l'air de n'être qu'un travestissement de sa surprise, pailleté par tout ce que votre sentiment peut avoir de flatteur à cet âge. Où est l'amour là-dedans ? Sait-elle seulement épeler le mot ?

– L'orthographe ne fait rien à l'affaire.

– Mais le mot beaucoup plus qu'on ne croit. Pensez-vous qu'elle vous aimerait si le mot lui était inconnu ? L'a-t-elle au moins prononcé.

– Le temps lui en aura manqué et la pudeur l'aura muselée.

– Cette pudeur, apparemment, ne va que jusqu'à la gorge.

– Ne sois pas grossier. Toutes ces simagrées ont pu lui faire perdre la tête. Moi-même je l'ai brusquée, elle est si jeune, si impressionnable, il faudrait lui en reparler à tête reposée.

– À tête reposée ! À l'heure qu'il est, des escadrons de gendarmerie ont sans doute pris position autour de chez elle, des convois de camions chargés d'ail convergent probablement vers la capitale depuis tout le pays, et l'archevêché de Notre-Dame doit être sur les dents. Est-ce en telle compagnie que vous voulez lui parler à tête reposée ? Vous ne pouvez pas la voir le jour, et vous savez comme elle est gardée la nuit.

– Mais toi, Cukol, toi qui le peux, va lui parler. Assurons-nous au moins de ses sentiments, quels qu'ils soient. Elle ne m'a pas dit non. Si tu crains d'y aller toi-même, fais agir quelqu'un d'autre. Pourquoi pas ta ribaude syndicaliste ? Fais cela pour ton maître qui est malheureux.

– Je le vois bien, hélas ! mais j'en ai déjà fait

plus qu'il ne fallait. Vous ne verrez plus cette personne. C'est pour votre bien que je l'interdis.

— Tu me l'interdis ? Cela est plaisant. J'irai donc demain soir.

— Je vous ligoterai plutôt dans votre cercueil. Si vous retournez là-bas, croyez-moi, vous n'en reviendrez pas. »

Le débat fut alors interrompu par un voisin qui, d'un seul mot bisyllabique hurlé à pleins poumons par la fenêtre, pria les insomniaques de mettre dès que possible un terme à leur entretien ou, s'il présentait quelque caractère d'urgence, de le poursuivre de telle sorte qu'il ne fît point vibrer les cloisons ou planchers, précisant par une phrase brièvement articulée que certains habitants de l'immeuble, et lui-même sans doute, étaient dans l'obligation de se rendre le lendemain sur les lieux où les appelait une activité salariée. Ce cri ne fit qu'ajouter aux inquiétudes de Cukol. L'endroit devenait malsain, il fallait le quitter. Tôt ou tard, on retrouverait trace de leur domicile et Lucie céderait aux pressions, au moins psychologiques. L'histoire ne pouvait que tourner au plus mal. Il fallait l'oublier, comme s'oublient finalement tous les chagrins d'amour. Toutefois, le comte ne voulait pas envisager de quitter la capitale dans ce qu'il appelait l'incertitude et, consentant du moins à ne pas différer un départ auquel la nécessité pouvait en effet le presser, mais résolu à ne le faire que dans l'assurance d'y retrouver bientôt Lucie si elle l'aimait ou de ne la revoir jamais si elle ne l'aimait pas, il convainquit Cukol de faire intervenir sa syndicaliste qui, se présentant à l'inévitable parent décrocheur de récepteur comme une camarade – une petite camarade – obtiendrait de Lucie la réponse ferme qu'il en attendait, dût-il la redouter, y gagnant au moins la conscience d'avoir tout risqué plutôt que l'éternel remords d'avoir abandonné sans motif la jeune fille qu'il aimait et dont, va-t'en savoir, il pouvait être aimé.

Cette perspective sembla au moins le calmer et il put donner libre cours à ce que l'impatience avait jusqu'alors contenu et qui ressemblait à un dégoût généralisé de l'humanité, de la Terre et de l'univers en expansion.

« Belle libéralisation des mœurs, que tu m'avais vantée ! Me voilà poursuivi jusqu'à ce que mort s'ensuive pour avoir souri à une jeune fille dont la fenêtre, à t'en croire, est maintenant protégée par une famille en armes au secours de qui vole la sainte union des forces du maintien de l'ordre public, de l'Église catholique, apostolique et romaine, et des marchands de légumes. Je ne sais pourquoi soudain tout m'exaspère et m'abat, ce monde attaché à sa nullité ainsi qu'une moule à son rocher, cette ville sans autre bruit que celui de ses véhicules ni autre fureur que celle qui lui fait défendre ses appareils électro-ménagers, cette chambre aux dimensions d'une cabine téléphonique avec coin cuisine, ce cercueil qui est comme la matérialisation de ma non-vie et de l'impossible nature qu'il me faut assumer, et, tiens, toi aussi, Cukol, toi qui...

— Ne criez pas, vous allez réveiller les voisins. Tenez, allons faire un tour. L'air vous fera du bien et vous y serez mieux à votre aise pour m'expliquer tout cela. Si nous partons bientôt, qui sait lorsque nous reviendrons ? Autant profiter encore de cette ville qui vous ennuie. Qu'en dites-vous ? »

Il n'en dit rien. Ils sortirent. Au contact de l'air libre, l'exaspération du comte Dracula s'évapora et, comme si les érosions successives découvraient en lui des strates plus profondes à mesure que les superficielles cédaient au temps, aux pluies, au sable, il ne se sentit plus qu'une irréductible mélancolie, impropre, hélas ! à s'épancher en larmes, et il vaquait, silencieux, le front bas, puis le nez au vent, parfois les yeux fermés. Cukol, qui l'avait une fois ou deux retenu par le bras au passage d'automobiles, fut subitement distrait de la jeune femme sur laquelle il s'était imprudemment retourné par la violence d'un crissement de pneus achevé en choc puis en chute : son maître, ironie du lexique, venait justement de heurter un pare-chocs en mouvement et s'écrasait quelques mètres plus loin, au grand dam du conducteur qui accourait vers sa victime étendue sur la chaussée.

« Monsieur, dit le comte, sachez que votre conduite n'est pas digne d'estime, et que... »

Cette phrase fut momentanément interrompue par le passage d'un second véhicule qui, ignorant, dans sa munificence, des espèces rampantes et noires dans la nuit noire, surmontait de tout son poids le même corps renversé qui fit entendre un double craquement, une fois sous les roues avant, une fois sous les autres.

« ... et que, reprit-il, n'était l'extrême mélancolie qui m'accable et votre condition visiblement inférieure, je vous en demanderais réparation sur-le-champ. Quand même vous seriez deux », ajouta-t-il en voyant se précipiter également le second chauffeur inquiet du mol obstacle qu'avaient franchi ses roues.

Puis il se releva, s'épousseta en faisant « ttt, ttt, ttt » et s'éloigna, abandonnant les automobilistes à leur stupéfaction et Cukol à son anxiété.

« Si vous continuez à vous faire remarquer de la sorte, notre affaire tournera court encore plus tôt que je ne l'avais craint. Laissons ces rues.

Elles deviennent dangereuses. Voici un bar. Entrons-y vite. Écoutez plutôt quelle polyphonie de klaxons vous occasionnez.

— Vains bourdonnements de mouches à mes oreilles », dit le comte, et il se laissa conduire dans l'établissement où le poussait son valet.

Le comte n'eut pas un seul regard pour les jolies femmes qui y souriaient placidement, et comme à tout hasard, à des hommes et à des verres, pas une oreille pour le pianiste qui clapotait dans un recoin comme une épave dans une mare. Noire était sa tristesse, noir son habit, noir le breuvage qu'on lui servit, ou peut-être seulement foncé, mais trop encore pour éclaircir l'ensemble, quelque douillets que fussent ces lieux d'asile.

Pour se faire pardonner l'austérité d'un mur laqué et relaqué dans un accès d'incongru jansénisme, on avait velouté les autres de feutre et ramolli le plancher par le quiétisme d'une moquette où enfoncer sans remords le moindre de ses pas dans un univers voué à la lenteur jusque sur ses banquettes, qui exhalaient un soupir d'accablement ou de soulagement selon que l'humain fondement s'y absorbait ou s'en extrayait. Derrière le comptoir rutilaient quantité d'appareils automatiques et inutiles parmi lesquels officiait un barman fier de sa civilisation et déjà rompu à la technique par l'usage des portillons de métro, des octrois d'autoroute et des distributeurs de billets. Leur hypocondrie cédant un peu au charme de cet endroit qui tenait de l'aquarium par le glauque, de la bonbonnière par le sucré et du cercueil collectif par le capitonné, les deux Transylvaniens en vacances se montrèrent bientôt moins insensibles au charme des longues créatures que le spectre de l'obésité avait dû plus d'une fois réveiller en sursaut et qui déplaçaient leur indolence sur des talons où vacillait à peine leur port de flamant rose. Tout cela ouaté par un murmure auquel le piano s'abandonnait sans combat.

Le prince des ténèbres s'attachait à suivre de loin le sillage des sirènes parfumées et s'étonnait que les « canons de la beauté », comme on disait partout, aient conduit les femmes de siècle en siècle, à efforcer leur apparence vers celle du phasme.

« Reconnais Cukol, que ces petites saillies aux phalanges et aux pommettes auraient bien du charme si les yeux ne laissaient craindre que l'esprit fût à l'image de ce corps étique.

– Je ne comprends pas qu'un être comme vous, à qui les miroirs attribuent si peu d'apparence, soit soucieux d'autre chose que d'essence.

– Qu'est-ce que l'essence d'un non-être ?

— La même chose. L'insubstance est substance de même que l'antimatière est matière ; le mort-vivant est à la fois et alternativement mort et vivant de même que tout sens ou bon sens est à double sens ; vous vous exprimez sur votre non-être en disant « je » de même que sur votre éternité en disant « demain » ; la conscience du néant est conscience qui l'emporte malgré tout sur le néant de la conscience, de même que les gens qui se savent imbéciles parce qu'ils sont intelligents l'emportent malgré tout sur ceux qui se croient intelligents parce qu'ils sont imbéciles. Il faut choisir entre le paradoxe et le lieu commun, encore !

— Ces messieurs désirent ? demanda le garçon abusé par ce dernier cri.

— La même chose ! poursuivit Dracula. Pour prendre un exemple au hasard, diras-tu que Lucie était perverse de son innocence autant qu'innocente de sa perversité, que m'offrir sa gorge était le plus sûr moyen de m'en détourner et que son attirance pour moi était l'effet de la répulsion ?

— Je le dirai, et le crierai au besoin.

— N'en fais rien, je t'en prie. Penses-tu alors que si j'avais été jeune et beau et rendu plus cultivé ou plus spirituel par la possession d'une voiture de sport elle aurait trouvé à mon non-être une profondeur que la surface défendait mal ?

– Faut-il donc que vous en reveniez toujours à elle ? Je vous ai dit d'oublier cette Lucie. Oubliez la transparence de son regard quand son sourire l'illuminait, ne pensez plus au bouillonnement de ses boucles sur sa gorge d'albâtre, rayez de votre mémoire son petit pied mignon qui chaussait la pantoufle pour courir vers vous, tracez une croix, façon de parler, sur ses épaules veloutées et n'entendez plus murmurer comme une source sa voix au clair babil. Croyez-moi, faites comme si vous n'aviez jamais senti sa main de porcelaine palpiter dans la vôtre, oubliez la chemise d'organdi qu'elle portait la nuit et où son cœur battait comme une colombe effrayée lorsqu'elle vous attendait, ôtez-vous de l'esprit sa douce...

– As-tu fini, animal ?

– Bon, parlons d'autre chose.

– Ou taisons-nous. »

Comme cette dernière proposition l'emportait sur la précédente, le piano y gagna en présence et égrena une moins flasque mélodie dont le comte sembla s'émouvoir, sans doute par association d'idées, car on ne pouvait soupçonner de telle vertu la sonore gélatine que distillait l'exécutant.

« Le sais-tu, Cukol, la dernière fois que j'entendis jouer de cet instrument, ou d'un qui s'en

rapprochait, c'était Mozart qui le touchait. Ah !
je me rappelle ce petit bonhomme proprement
habillé et passablement laid. Il m'a fait rire une
fois ou deux, et plus souvent frissonner. Il allait
mal quand je l'ai connu, si mal que l'idée m'est
venue de le baiser au cou pour le garder encore,
et loin d'eux qui l'écoutaient si peu. Mais je
ne sais ce qui, décidément, m'empêche de mordre ceux qui m'émeuvent. Non, ce n'était pas de
la pitié, plutôt un désir qu'il touchât constam-
ment au monde nécessaire. Et, qui sait, lui permettre de composer encore, mais d'un cœur
froid ou ralenti, n'aurait-ce été le tuer davantage ? Un soir, c'était à Vienne, je le regardais,
séraphique et bêta, manifestement mourant
et immortel, seul, tirant de son piano la substance du monde où s'abreuvent les anges. Dracula, me disais-je, cet homme-là est comme toi,
et vous êtes frères, mais lui avec une force en
plus, qui détourne la morsure. C'est peut-être
moins par jalousie que par amour que je le lais-
sai mourir en lui accordant ainsi une plus pure
éternité.
    – Avez-vous connu Leibniz ? demanda Cukol
pour le distraire de la mélancolie qu'il voyait lui
revenir, je suis curieux de certaine précision
concernant les monades... »
    Mais Dracula, chez qui, décidément, la tris-

tesse se faisait vengeresse, s'était déjà dressé pour marcher vers le pianisticule.

« Jeune homme, veuillez cesser incontinent votre travail de vil fossoyeur. J'ai connu Mozart et ce pelletage me fatigue les tympans. Je crois qu'il vous aurait pardonné, mais quant à moi, faute de pouvoir recevoir vos témoins et pour m'accorder à vos façons de chiffonnier, je vous prie de me suivre sur le trottoir. »

Deux ou trois éthyliques qui s'agglutinaient autour de l'instrument en blatérèrent de plaisir, impatients de la suite que promettait un tel début, mais Cukol s'empressait déjà, par quelques boutades, à faire passer ce défi pour une plaisanterie et, comprenant que son maître resterait ce soir d'une humeur indiscrètement querelleuse, il le soutint comme s'il avait trop bu et, malgré les protestations des auditeurs déçus, l'entraîna vers la sortie pour le ramener chez lui.

Là, ils s'entretinrent encore un peu en regardant par la fenêtre.

« Il y a moins de monde, à cette heure...

– Un peu moins, oui...

– Est-ce qu'il va pleuvoir ?...

– C'est ma foi bien possible...

– Tiens, un chat...

– Qu'il est mignon... »

Mais cela ne faisait pas une vraie conversation. Puis vint l'heure de mourir. Le marchand de sable passa, avec sa grande pelle.

Re-jour. Re-mort. Re-nuit.

Cukol avait tenu sa promesse. Par syndicaliste interposée et infantilisée, il avait pris langue avec Lucie, quoique à distance et par téléphonique prudence, pour lui communiquer la sorte de sommation dont son maître l'avait chargé. Elle en parut, dit-il, bien moins offusquée que flattée, en tirant même, croyait-il deviner, une coquetterie proportionnelle à l'impatience d'un interlocuteur lentement ravi, cependant, par tant de chatteries et tergiversations. La proposition, sans doute, méritait d'être considérée, mais plus tard. Elle en avait d'autres qui ne la tentaient pas moins, et parfois davantage, elle s'en disait surprise. C'est qu'elle était assez jolie, croyait-elle. Elle, elle n'en savait rien, mais c'est ce que tout le monde disait et qui devait être un peu vrai, non ? Pouvait-elle partager le séjour qu'on lui offrait avec une amie à qui elle en avait déjà parlé, éventuellement avec un ami ? Non ? Ah ! c'était dommage ! Non, elle ne pouvait pas répondre maintenant ni rester plus longtemps au téléphone d'ailleurs, car elle avait prévu d'aller danser. Qu'on la rappelle, oui, pourquoi ne pas convenir d'un code ? Tout cela, commenta Cukol, d'une voix vraiment exquise, il fallait en convenir, et satinée de petits éclats de rire comme des traits de clavecin qui donnaient le frisson. Mais le fin mot de l'affaire, selon lui, était qu'elle raffolait d'invitations à danser et beaucoup moins d'engagements, et que l'amour ne l'éclairait encore qu'à des années-lumière.

— Danser ? Tu veux dire avec des garçons ?

— Comment serait-ce possible autrement ?

— Ah ! Je le savais bien qu'une espèce de motocycliste cocacolesque viendrait tôt ou tard me déposséder même de mes illusions. Beau rival ! Je trouvais plus digne d'être doublé par le tribunal révolutionnaire.

— Et combien de temps croyez-vous qu'un mort-vivant puisse résister même à un motocycliste et garder une jeune fille ? Un mois ? Une semaine ? Une heure et demie ?

— Un mois, même dans l'éternité, une heure de paradis, pour un damné, n'est-ce rien ?

— Mon opinion, si vous voulez la connaître, est que la cour que vous lui avez faite n'a su que la développer en sens contraire de celui que vous aimiez et que le mot ayant eu même effet que la chose, mieux eût valu avoir la chose. Je vous comprends, d'ailleurs. Moi-même, après deux minutes de téléphone, j'en suis encore charmé. Mais il n'y a rien à attendre d'elle qu'un mal plus grand.

– Courons aux plus grands maux comme à notre plus haut destin. Donne-moi ce téléphone. De quel code êtes-vous convenus ?

– Vous êtes fou ! Vous... »

Le verbe attendu s'étrangla sous le garrot d'une dextre magistrale qui œuvrait dans le sens d'une totale occlusion phonatoire mais n'interdit le passage qu'aux consonnes uvulaires et glottalisées.

« Laissez sonner un 'oup, 'a'ochez, et 'e'om-mencez. »

Aussitôt, relaxation de l'étau digito-manuel, tension de l'index droit, numérotation digitale. Fin de ces désopilantes et phonétiques plaisan-teries. Nul lecteur véritable ne se demandant comment le vampire avait appris l'usage du télé-phone, glissons. Épouvanté par cet acte suici-daire, le valet se jeta sur le maître et cherchait à rompre le cordon du récepteur malgré la résis-tance qu'on lui opposait lorsque trois coups à la porte d'entrée figèrent les lutteurs. Qui pouvait venir à cette heure ? L'allégorique laitier qui frappe chez les Occidentaux pour les rassurer sur la démocratie ? Le vampire n'avait nul souvenir d'avoir passé une commande de lait. Le voisin avait-il franchi un pas et quelques marches dans l'insomnie vindicative ? Trop peu de rage et trop de discrétion motivaient ces coups. La police ? On frappa derechef. Couverture aussitôt de couvrir le cercueil.

« Ne reste pas là comme un piquet. Va demander qui frappe. Je ne sache pas qu'il soit dans les usages parisiens de demander l'hospitalité dans les étages lorsqu'on s'est égaré dans la rue. Si c'est la police, n'ouvre pas sans m'avoir laissé le temps de m'envoler. »

C'était Lucie. Avec une précipitation qui faillit renverser l'huissier, le comte ouvrit lui-même. Il ne dit rien. La revoir lui ôtait toujours l'usage de la parole pendant quelques secondes.

« Je suis venue, dit-elle, parce que j'ai des remords. »

Monde, ô phénix ! Elle ajouta : « Je me suis moquée de vous. J'en ai eu peur la dernière fois, peur que vous ayez pris cela trop au sérieux.

– Quoi, cela ? Ne m'as-tu pas offert ton cou ?

– Parce que je savais que vous n'y mordriez pas. À la chaînette que vous y voyiez tenait une médaille que maman m'avait fait porter par précaution après le premier soir. J'ai failli l'ôter dans un moment de désespoir, mais voyez, je l'ai toujours. »

Elle se retourna pour échancrer son corsage et se découvrir le haut du dos où larmoyait entre

ses deux épaules la sainte face auréolée par les
épines de son humiliation. Le moment de désespoir changeait de camp.

Elle avait voulu connaître Dracula ; quel
autre moyen avait-elle ? Et à qui cela nuisait-il
qu'elle le vît de près s'il n'y avait rien à craindre ?
Elle avait approché des vedettes, des acteurs, des
chanteurs, des ministres, mais jamais de vampire ; et quel agacement d'être toujours tenue
dans sa chambre quand ses parents recevaient,
comme si elle n'avait rien, elle, qui pût intéresser ! Comment elle l'avait retrouvé ? Son pro-
fesseur de sciences naturelles, qui habitait de
l'autre côté du square, leur ayant parlé d'une
insolite chauve-souris introduite dans cet immeuble, elle y était venue ; ayant vu de la lumière
elle était montée ; ayant reconnu la voix elle avait
frappé. Le temps pressait. Elle avait séché le
concert de rock donné par les élèves et qui allait
s'achever. Il fallait être à l'heure chez elle. Elle
tenait à le prévenir que le pédagogue pratiquait
la taxidermie avec l'Association des amis des
bêtes mortes.

« Je ne voudrais pas qu'on vous prenne à
cause de moi. Ni que vous ayez des ennuis. Est-
ce que vous m'en voulez ? »

Un instant, le comte resta raide comme une
trique ou un roc dans son frac, puis il s'assit sur

son cercueil. Il eut par la fenêtre un regard sur le monde, ô grand incinérateur, puis sur Cukol qui, depuis le coin où il se tenait, observait et son maître et le monde et la jeune fille, compatissant, condescendant, concupiscent, puis sur Lucie. Il s'attendrissait à la voir devant lui, vêtue comme pour le jour, comme pour d'autres que lui, prête à la vie. Mais c'était bien pour lui, et pour lui seul qu'elle avait menti à ses parents et s'était privée de rock, pour le sauver, lui, Dracula. Comment lui en vouloir ? Lui poser la question suffit à dissiper tout repentir dans son regard d'enfant. Le sourire lui revint, tel que ce premier soir où elle craignait l'orage, clair à ne plus inspirer, encore, que la confiance.

« Non, je ne puis t'en vouloir. Ce sont les mortels qui se méprennent sur moi. Si leur miroir ne trouve pas de visage, la pointe cherche le cœur. Mais nous, vampires, nous voyons les visages, et nous ne savons pas les cœurs.

– Je suis contente que vous ne m'en vouliez pas, parce qu'il n'y avait pas de quoi, n'est-ce pas ? Qu'est-ce là ? Votre cercueil ? Je peux le voir ? Et le gros, c'est votre ami qui m'a téléphoné ?

– Va, il est tard, ton concert va s'achever et tes parents vont s'inquiéter. Le gros va t'appeler un taxi.

– Vous m'enverrez une carte postale des Carpates ?

– J'écris peu, nous verrons. Ta voiture sera là dans une seconde. Hâte-toi, adieu. »

Son pas déclina dans l'escalier, puis se perdit. En bas, une chevillette fut tirée et une bobinette chut, fait rare au passé simple. Un moteur survint, ronronna, repartit. Le comte restait droit face à la porte refermée.

« Avez-vous vu cela, monsieur, comme j'avais raison et comme vous n'étiez rien pour elle quand vous deveniez quelque chose. Elle craignait de vous blesser, n'est-ce pas amusant ?

– Non.

– Socrate se demandait si c'était l'émotion qui lui donnait des battements de cœur ou les battements de cœur l'émotion. Dans quel ordre croyez-vous que votre amour et cette chaînette tiennent ensemble ?

– Tais-toi.

– Vous avez des excuses. Elle est charmante, pour ça, je ne le nie pas, quoi qu'elle m'appelle « le gros ». J'ai bien cru que vous alliez m'ordonner de lui arracher son grigri et de lui tenir les bras pour la mordre à votre aise et lui apprendre qu'un vampire est plus à craindre qu'on ne croit.

– Tu as cru que j'allais t'ordonner cela, n'est-ce pas ?

– Oui, par ma foi, qui vous en empêchait ?

– Rien, en effet. »

Et, de toute la force de sa main qu'il avait osseuse, de tout l'élan de son bras qu'il avait long, de toute la puissance de sa douleur qu'il avait vive, Dracula, sans broncher, appliqua à Cukol, qui en chancela sur lui-même, solennelle, imparable, retentissante, une gifle.

« Je te passe beaucoup, Cukol, même la grossièreté et l'amour du débat, mais non l'offense de te croire mon égal et que tes instincts puissent me servir de sentiments. Ne l'oublie plus ! Ton opinion, je pense, est que nous rentrions ?

– Mon opinion, maître ingrat, est que les sciences naturelles, la taxidermie et nous font trop de monde en même temps et au même endroit.

– Bien. Fais nos bagages et prends nos billets. Retour vers les Carpates. J'irai donc m'enterrer en province et m'exalter de la perspective de ces nuits passées à guetter un touriste égaré ou une ethnologue à plats cheveux et plates mamelles, à l'heure où tu rallumes les chandelles, après m'être éveillé dans la même crypte humide, mal reposé d'une mort imparfaite qui ressemble au coma. Quel mal ai-je fait pour mériter cela ? Qui ai-je mordu, menacé ou seulement effrayé ? Pourquoi reviennent-ils toujours secouer leur bimbeloterie à mes basques comme des chiens rameutés pour une curée permanente ? Est-ce d'avoir la mort pour confort qui me fait chasser comme un animal qu'ils appellent nuisible, comme ces loups exterminés, ces chauves-souris crucifiées aux portes des granges ? Qu'est-ce que l'éternité, Cukol, quand on n'y trouve pas même la consolation de souffrir pour quelque chose ? Quelle alternative ? Traîner sans fin une non-vie qui est déjà une mort ou accueillir l'épieu qui donne le néant ?

— En cela, monsieur, qui vouliez être comme tout le monde, dites-vous que votre destin est le plus commun du monde.

— Voilà qui est plus triste encore », dit Dracula.

Puis il se tut. Peu après, comme s'il sentait le gaz ou le brûlé, il se mit à humer en grimaçant autour de lui, ensuite à renifler sa main.

« Cukol ?

— Oui, monsieur ?

— Ne sens-tu rien ?

— Non, monsieur.

— Ma main, sens ma main, sens-moi. Eh bien ?

— Eh bien quoi ?

— Je sens la cave ! Le confinement des caveaux a imprégné jusqu'à mes vêtements et l'odeur de la mort est sur moi. N'ai-je pas l'haleine de la peste ?

— Allons, calmez-vous. Couchez-vous donc.

— Je vais me coucher, en effet, mais tu laisseras mon cercueil et les rideaux ouverts, et j'attendrai le jour, calme, résolu, la tête haute face au soleil qui ne me la fera plus courber.

— Pensez donc, que j'irais faire une chose pareille ! Allons, je m'occuperai de vous, moi qui ne suis pas ingrat, ni rancunier. Là, là, cela passera, monsieur, si, cela passera, là… là… »

Le comte, en effet, se coucha bien avant l'aube, par souci sans doute de dissimuler une détresse trop puissante pour être contenue, car Cukol, attentif à ce qu'un accès de désespoir n'ouvrît point le cercueil à la lumière, l'entendit gémir, mais à peine, comme s'il s'était enfoncé le poing dans la bouche et la tête entre le coussin et le capitonnage des parois pour y étouffer des sanglots venus du fond des âges.

VI

Ils revinrent au plus vite dans leurs Carpates natales où Cukol obtint, selon l'expression, de rapatrier le corps indésirable en terre occidentale, et c'est par la voie des airs qu'ils se hâtèrent vers le levant, l'un dans la soute à bagages et l'autre dans un fauteuil de première classe où un journal dû à la prodigalité de l'équipage lui permit de découvrir les témoignages s'accordant à décrire un étrange individu ou chiroptère rencontré à Paris et que d'aucuns prétendaient « vampire », précisa le rédacteur entre deux paires d'ironiques et rassurants guillemets. Après quoi, satisfait de sa précipitation, le voyageur s'accorda le pourboire d'une somnolence jusqu'à l'atterrissage.

Ils retrouvèrent la Transylvanie, ses eaux et ses forêts, ses chapelles classées et celles qu'on avait aménagées en centres de loisirs, Bistritz, son château, ses cryptes, ses caveaux, ses blasons ternis, ses miroirs voilés.

Ce décor familier ne calma ni n'attisa le chagrin du vampire, mais le berça plutôt, et parfois jusqu'à la nausée au retour de certains gestes routiniers liés à l'escalier, aux chandelles, à la cheminée. Fut-ce donc pour rompre ce cercle vicieux, ou par bouderie, ou sous l'effet de quelque prostration que Dracula, le deuxième soir, ne reprit pas le chemin de la grande salle, de sorte que c'est Cukol, inquiet d'une absence prolongée jusqu'avant l'aube, qui descendit à la crypte où il trouva son maître dans son cercueil, couché sur le côté ?

« Que se passe-t-il ? Êtes-vous indisposé ?

– C'est le mot. Grandement indisposé. Par le monde en général, et par toi en particulier. Laisse-moi.

– Oui, je devine la cause de votre indisposition. C'est encore cette...

– Pas de nom, misérable ! Va-t'en.

– Allons, faites un effort. Vous savez bien que ces chagrins-là finissent toujours par passer. Mettez-y de la bonne volonté. Tenez, on annonce un camp de jeunes gens, dans la région, un camp de vacances, ne vous y trompez pas. Si nous allions y faire un saut pour vous ragaillardir ?

– La dernière expérience m'a suffi. Le désir me manque. Mon chagrin passera peut-être, mais pour l'instant j'ai encore un peu mal, figure-toi, et souhaiterais au moins pouvoir souffrir en paix. Il me semble que c'est une assez modeste exigence pour qu'elle soit satisfaite. Bonsoir.

– Bien, je remonte. Mais vous auriez tort de broyer du noir à tort et à travers. Dites-vous que tout est bien. Posséder l'objet de votre amour c'était le perdre, et vous vous en plaigniez, mais ne pas le posséder pour le mieux préserver n'est pas le perdre davantage puisque vous êtes privé du souvenir de l'avoir possédé. Rien de perdu. Pensez que toute jeune fille qui se survit est condamnée à être enterrée vive dans un sarcophage en forme de femme. La vie et la mort vous l'ôtant également, en vous la changeant, vous voyez que le seul point fixe à quoi vous accrocher est ce changement et que le seul moyen d'aimer la même est d'en aimer une autre.

– Tu me fatigues. Es-tu un autre, alors, de si peu changer toi-même avec tes raisonnements en forme de navettes ? Et diras-tu, en les poussant un peu, que le seul moyen de ne plus l'aimer est de l'aimer toujours ?

– Je le dirai, et le diront avec moi tous ceux qui demandent le divorce, pour ne rien dire de ceux qui ne demandent plus rien. Tristan et Iseult, Roméo et Juliette, devaient choisir de s'aimer en se donnant la mort ou de se perdre en se gardant en vie, ce qui leur laissait bien six mois avant de se lancer la vaisselle à la tête.

— Tes sophismes m'ennuient. Je ne vois qu'une chose : celle que j'aime se détourne de moi, ceux que je hais se précipitent en courant, le monde devient chaque jour plus odieux, et j'ai pour destin d'y être maintenu à perpétuité, ce qui m'indispose. Avec le restant je tâcherai de m'amuser, c'est entendu, et maintenant laisse-moi, l'aube va poindre, pour changer...

— Ah ! vous êtes encore triste, monsieur, et je vois bien que le chagrin qui vous tient vous dissimule tous les motifs de s'égayer. Voyez pourtant comme le monde accommode peu à peu son avenir à vos vœux. À l'heure où vous pleurez la bien-aimée, vos larmes font pousser comme champignons toutes celles qui fourniront demain au bienheureux tourment de votre éternité. Quant à l'humanité qui vous bourrelle et qui vous chasse, l'ingrate, elle bondit vers son néant pour mieux débarrasser le plancher où vous poserez bientôt un pas triomphateur. Non, tout va bien, monsieur, consolez-vous, un jour radieux se lève sur le monde, ou du moins, pour vous mieux accueillir, une nuit opaque le recouvre peu à peu, et, grâce à Dieu, sans vous tromper, je crois, oui, je crois bien qu'elle en viendra aux ténèbres définitives. Car enfin, qu'avons-nous rapporté de notre voyage ? Moisson de bonnes nouvelles ! L'abominable peuple ne travaille que pour vous, gorgé jusqu'à la gueule de ses souillures que la terre saturée lui renvoie. Les hommes croissent et se multiplient comme poux sur la tête d'un teigneux et ne peuvent déjà plus se retourner sans se marcher sur les pieds. Soyez patient, ils en viendront aux mains et fourbissent déjà des armes à faire le vide. Faites donc confiance au temps, le grand allié des morts qui vous garde vivant. Levez la tête : le ciel dont la pureté rendait lyriques même les agents de change, le ciel est tout gluant de leur chimie. Vous la baissez encore ? Voyez : l'herbe où ils se vautraient en gémissant d'aise leur meurt sous les semelles. Les arbres, dont on fait les pieux, pourrissent sur pied, et les sources dont la servilité reflétait leur image et refusait la vôtre s'empoisonnent aujourd'hui et tariront demain. S'ils plantent des forêts, ce sont de cheminées, et ça crache, et ça fume, et ça poisse, et ça noircit que c'en est un bonheur ! Seul s'accroît le désert ennemi de la vie et qui leur vomit encore à la barbe et au nez ses torchères de goudron, admirable goudron, antique linceul des morts, baume aux cœurs haineux, onguent qui pansera vos plaies. Réjouissez-vous donc qu'ils déploient là-haut un dais de ténèbres où nul rayon ne percera pour mettre un terme à votre activité. Le jour devient la nuit, et la nuit est votre lumière. Que cette nuit vous venge autant de fois que le jour vous humilia. Le monde s'ouvre ! Vous regrettiez la peste semeuse d'agonies, mais voyez s'avancer comme de braves faucheuses ces jeunes épidémies aux bras sans faiblesse et à l'inflexible mollet. Pleurer, monsieur ? Mais que ce soit de joie ! Quand nous traversions l'Europe, vous n'avez pu admirer, du fond de votre caisse, le plus harmonieux paysage qui puisse éberluer prunelle de vampire, mais moi, les mirettes écarquillées, j'en riais tout seul : forêts saignées, montagnes éventrées, plaines mutilées, tous les fleuves descendant vers la mer comme des égouts au grand cloaque, et par-dessus tout cela, ce vaste filet, chef-d'œuvre que tissa une titanesque et providentielle araignée : la toile de béton où ils s'engluent comme des mouches. Ah ! ils vous ont chassé, poursuivi, agoni ? Vous en serez vengé. Tels ceux qui ont disparu par où ils avaient régné, le poids de sa tête entraîne l'humanité vers sa disparition : trop d'intelligence pour s'en tenir à la nature, trop peu pour s'en tenir à l'intelligence. Ils ont imaginé des jouets qui les dépassent et leur éclatent entre les mains en traçant chaque fois autour d'eux des cercles de mort, ô saintes auréoles de la dévastation ! Ne les avez-vous donc pas vus, encombrés par ce corps qui leur servait à chasser les aurochs et dont ils n'ont plus l'usage qu'aux extrémités, par l'index appuyeur de boutons et par le derrière, coussin supplémentaire pour les maintenir sur leurs fauteuils motorisés dont ils aspirent à pleins poumons les vapeurs corrosives ? Respirez aussi, monsieur, inhalez la bonne odeur de mort qui vous prépare un monde délivré, rayonnant de la fraternité des morts-vivants de tous pays, zombies, goules et vampires. Joie, pleurs de joie, car les humains convertis à ces lois supérieures n'y auront laissé, ô délices, que leurs dépouilles désormais congelées à grands frais pour ressusciter demain sur des lieux désertés, et leur frénésie, qui s'étend jusqu'au cosmos, inassouvie de fusées et de bombes, a commencé de placer les cadavres sur orbite. À l'heure où je vous parle, des cercueils spatiaux tracent déjà autour de la planète leurs grands cercles de mort, ô noble gravitation qui élève les tombeaux vers les étoiles et qui formera bientôt parmi les scintillements des astres des constellations de macchabées. Exultez, jubilez, c'est l'univers tout entier qui devient cimetière où ne tourneront plus enfin que des mondes morts. Que les anges de l'apocalypse embouchent leurs trompettes pour saluer votre règne et

117

que leur chœur proclame lorsque vous paraîtrez : il nous a délivrés par le sang. Il était mort, et voici : il est vivant aux siècles des siècles ! Ainsi soit-il, amen !

– Si l'on t'écoutait, tout serait toujours bel et bon. Quant à moi, je les crois d'une sorte à s'adapter à tout. Rien ne te dit qu'ils ne sont pas en train de parfaire à leur image la Terre archaïque à laquelle un grand âge peut nous accoutumer, ni qu'ils n'iront demain planter leurs colonies dans un univers fait pour les recevoir. Et si c'était moi qui n'y avais pas ma place ?

– Et je crois, moi, que, hors les vampires qui en sont la perfection et la finalité, tout ce qui vit n'a de but qu'en la mort. Telle est mon opinion, et toute autre, monsieur, toute autre me fait rire.

– Ris, Cukol, ris. Mais rira bien qui rira le dernier. »

Sur ces mots, comme l'aurore paraît, le comte Dracula referme sur lui le couvercle du cercueil et, croisant les deux mains sur le nombril, il meurt encore une fois.

Collection GRAIN D'ORAGE

LITTÉRATURE FRANÇAISE

Jacques ABEILLE, *la Clef des ombres.*

Alain BUISINE, *l'Orient voilé.*

Jean-Philippe DOMECQ, *le Désaccord.*

Jean-Philippe DOMECQ, *Silence d'un amour.*

Dominique DUSSIDOUR, *Histoire de Rocky R. et de Mina.*

Clotilde ESCALLE, *Pulsion.*

Max GENÈVE, *le Château de Béla Bartók.*

Hubert HADDAD, *Meurtre sur l'île des marins fidèles.*

Hubert HADDAD, *le Bleu du temps.*

Hubert HADDAD, *la Condition magique.*

Roland JACCARD, *Journal d'un homme perdu.*

Stéphanie JANICOT, *les Matriochkas.*

Stéphanie JANICOT, *Des profondeurs...*

Pierre-Yvon LE BRAS, *Talleirant.*

Lucile LE VERRIER, *Journal d'une jeune fille Second Empire.*

Jean PRÉVOST, *le Sel sur la plaie.*

Jean PRÉVOST, *la Chasse du matin.*

Jean PRÉVOST, *la Vie de Montaigne.*

Jean PRÉVOST, *Baudelaire..*

Gemma SALEM, *Mes amis et autres ennemis.*

Cécile WAJSBROT, *Atlantique.*

Cécile WAJSBROT, *Mariane Klinger.*

Cécile WAJSBROT, *la Trahison.*

Dernières nouvelles de King Kong.

Collection QUATRE-BIS

Max GENÈVE, *Autopsie d'un biographe*.
Max GENÈVE, *TEA*.
Hugo HORST, *le Confesseur*.
Catherine KLEIN, *Journal de la tueuse*.
Emmanuel MÉNARD, *Cannibales*.
Jacques VALLET, *Pas touche à Desdouches*.
Collectif, *9 Morts et demi*
Collectif, *Villefranche, ville noire*.

CHAMPS ÉROTIQUES

Jean-Luc HENNIG, *Brève histoire des fesses*.
Élizabeth HERRGOTT, *l'Amant de la Vierge Marie*.
Piero LORENZONI, *Histoire secrète de la ceinture de chasteté*, traduit de l'italien par Nathalie Campodonico.
Thomas LUNTZ, *le Proconsul*.
Claude PASTEUR, *Deux mille ans de secrets d'alcôve*.
Claude PASTEUR, *les Femmes et les Médecins*.
José PIERRE, *les Adolescences de Thérèse*.
Ane SCHMIDT, *Ham*, traduit du danois par Michel Maire.
Maxime SÉVÈRE, *les Fêtes de l'île interdite*.
Qu'est-ce que la littérature érotique ? Soixante écrivains répondent.

Cet ouvrage a été composé en Bodoni corps 11
par les Ateliers Graphiques de l'Ardoisière
à Bedous.
Il a été reproduit et achevé d'imprimer
par l'Imprimerie Floch à Mayenne
le 9 février 1998
pour le compte des éditions Zulma
32380 Cadeilhan.

Dépôt légal : février 1998
N° d'édition : 028 - N° d'impression : 43047
ISBN : 2-84304-028-0

Imprimé en France